ATLAS DEL CUERPO HUMANO

Secretos de una máquina maravillosa

verticales de bolsillo descubrir

Barcelona, Bogotá, Buenos Aires, Caracas, Guatemala, Lima,
México, Panamá, Quito, San José, San Juan, San Salvador, Santiago

ATLAS DEL CUERPO HUMANO

Este Atlas de anatomía brinda a los lectores una magnífica oportunidad para conocer el cuerpo humano y la estructura de los diversos componentes del organismo. Constituye, pues, un instrumento de la máxima utilidad para acceder a la maravilla que representa nuestro cuerpo, tantas veces comparado con una compleja maquinaria: en realidad es mucho más que eso, es infinitamente más elaborado que cualquier aparato de los que el ser humano haya diseñado hasta la fecha e incluso, con total certeza, de los que en tiempos futuros pueda llegar a fabricar.

Los diferentes apartados de esta obra conforman un completo resumen de la anatomía humana. Constan de múltiples láminas y numerosas figuras, esquemáticas aunque rigurosas, que muestran las principales características de todos y cada uno de los diferentes aparatos y sistemas de nuestro organismo. Tales ilustraciones, que constituyen el núcleo central de este volumen, están complementadas con breves explicaciones y apuntes que facilitan la comprensión de los principales conceptos anatómicos y fisiológicos, así como con un índice alfabético que permite localizar con facilidad toda cuestión de interés.

Al emprender la edición de este Atlas de anatomía nos marcamos como objetivos realizar una obra práctica y didáctica, útil y accesible, de rigurosa seriedad científica y, a la par, amena y clara. Esperamos que los lectores consideren cumplidos nuestros propósitos.

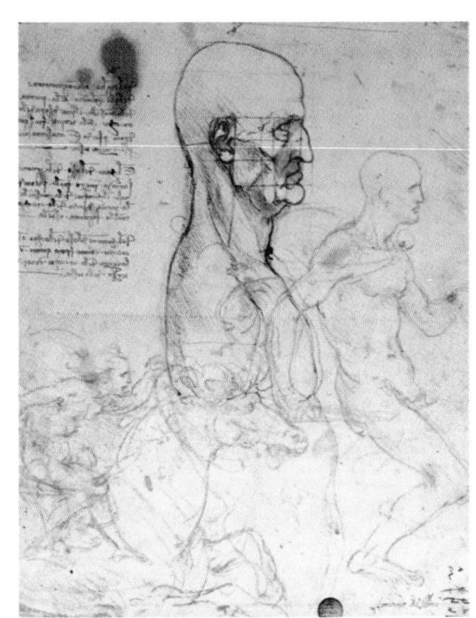

SUMARIO

LOS PRIMEROS ESTUDIOS DE LA ANATOMÍA HUMANA

El término anatomía procede de un vocablo griego que significa «disección» y se emplea para designar tanto la estructura de los seres vivos como la ciencia dedicada a su estudio. Una ciencia muy antigua pero que, en lo que se refiere a la anatomía humana, tomó auténtica forma a mediados del siglo XVI, cuando comenzaron a realizarse metódicamente disecciones de cadáveres para estudiar con detenimiento su constitución: antes de esa época, tal práctica estaba prohibida, era tajantemente rechazada por las normas éticas y las creencias religiosas imperantes, y los conocimientos que se tenían acerca de la estructura y el funcionamiento del cuerpo humano procedían sobre todo de observaciones realizadas en animales, eran imprecisos y muchos de ellos, erróneos.

Fue el médico belga Andrés **Vesalio** (1514-1564), profesor de anatomía en Universidades tan prestigiosas como las de Lovaina, Padua y Bolonia, quien se atrevió a desobedecer las pautas morales de su época y comenzó a combinar en sus clases explicaciones teóricas con demostraciones prácticas basadas en disecciones de cadáveres humanos. En 1543 publicó sus avances en un libro titulado *De humani corporis fabrica* (La estructura del cuerpo humano), con más de trescientos meticulosos grabados anatómicos, una obra que causó gran conmoción en los científicos contemporáneos porque contradecía abiertamente las teorías aceptadas hasta entonces. Este trabajo constituyó un paso de enorme trascendencia para acceder a un exacto conocimiento del cuerpo humano, aunque acarreó para su ilustre autor graves consecuencias: en 1561, mientras residía en España prestando sus servicios en la corte de Felipe II, fue juzgado por su osadía ante un tribunal de la Inquisición y condenado a muerte, aunque luego su pena fue conmutada por una peregrinación a Tierra Santa; en el viaje de regreso, un naufragio acabó con su vida.

Con el paso del tiempo, los estudios anatómicos se fueron normalizando y a las **observaciones a simple vista** efectuadas en las disecciones se fueron sumando las realizadas con **técnicas** cada vez más modernas. Así se pudo comprender con mucha mayor precisión cómo está constituido el cuerpo humano y las funciones que asumen cada uno de sus componentes; así se fueron conociendo mejor los aparatos y sistemas que integran el cuerpo, determinando los variados tejidos que forman los órganos y la naturaleza de sus componentes elementales, las células. Porque el cuerpo humano tiene una gran **complejidad**, cuenta con millones de millones de componentes combinados de una manera en extremo intrincada.

CÉLULAS Y TEJIDOS

En esencia, el cuerpo humano está formado por una ingente cantidad de **células**, que son las unidades básicas de todo ser vivo. De hecho, se calcula que el cuerpo de una persona adulta cuenta con más de doscientos billones de células, todas ellas dotadas de unos elementos semejantes aunque sean de diversas formas y estén capacitadas para desarrollar distintas funciones específicas.

Estas células diferenciadas no se disponen de forma anárquica sino que, según sus características, están agrupadas, en ocasiones combinadas con materias inertes como sales minerales o fibras producidas por ellas mismas, formando **tejidos**. En el cuerpo hay básicamente cuatro tipos de tejidos, cada uno encargado de cumplir misiones particulares:

- el **tejido epitelial**, formado por células muy semejantes y estrechamente unidas entre sí, cuyas funciones más importantes son las de revestimiento, puesto que tapiza la superficie externa y las cavidades internas del cuerpo, y la de secreción, dado que constituye estructuras glandulares que secretan sustancias de variada naturaleza y las vierten ya sea al exterior del cuerpo o bien en su interior, por ejemplo a la sangre;

• el **tejido conjuntivo**, compuesto por células de distinto tipo entre las cuales hay interpuestas sustancias de consistencia variable así como fibras de naturaleza proteica, cuya función más importante estriba en proporcionar sostén a las estructuras corporales. En realidad, hay diversos tejidos conjuntivos: un tejido conjuntivo laxo, que está distribuido por todo el organismo y tiene una importancia fundamental en la nutrición de todos los tejidos, porque permite el paso de los vasos sanguíneos; un tejido conjuntivo denso, muy resistente, que constituye tendones y ligamentos; y otros tejidos conjuntivos especializados con propiedades particulares, como el tejido adiposo, el tejido cartilaginoso y el tejido óseo, el tejido sanguíneo y el tejido linfoide;

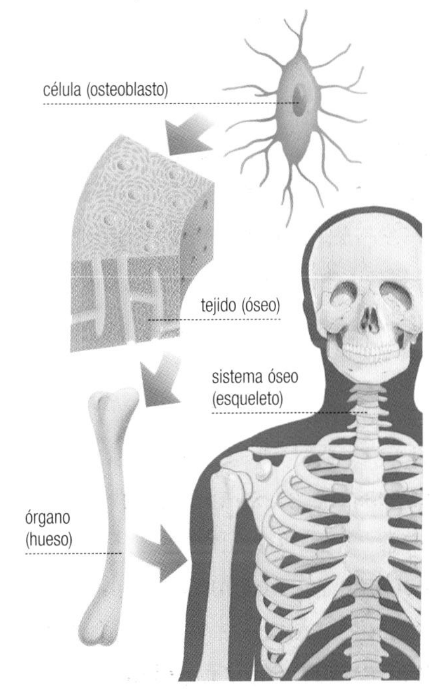

• el **tejido muscular**, formado por células alargadas que son capaces de contraerse ante un estímulo y luego recuperar sus dimensiones iniciales, encargado de proporcionar movilidad al cuerpo y sus estructuras internas;

- el **tejido nervioso**, constituido por unas células muy especiales, las neuronas, que son capaces tanto de recibir como de generar estímulos y de transmitir en forma de impulsos eléctricos informaciones que rigen la actividad de los músculos y las glándulas o, en especial, de realizar las funciones intelectuales superiores.

ÓRGANOS

Tampoco los tejidos están distribuidos caprichosamente en el cuerpo, sino que están combinados de una manera precisa y constituyen diferentes unidades estructurales encargadas de desempeñar tareas específicas, los **órganos**: la piel, el estómago, el hígado, los pulmones, el corazón, etc.

Cada órgano tiene una forma precisa, una situación particular y una misión concreta, algunos son sólidos y otros corresponden a conductos huecos, aunque todos están compuestos por varios tejidos elementales. Cierto es que algunos órganos cuentan con tejidos que no están presentes en ninguna otra parte del cuerpo, como ocurre con la epidermis, que es la capa superficial de la piel, o bien con el tejido óseo, que es el principal componente de los huesos.

Pero en cambio hay órganos muy diferentes cuyas propiedades dependen de la presencia de un mismo tejido: los numerosos músculos del cuerpo, el corazón y diversas vísceras huecas, por ejemplo, pueden contraerse y relajarse porque disponen de tejido muscular. Lo que caracteriza a los órganos, más que su constitución anatómica, por lo tanto, es su función, porque cada uno desarrolla una actividad específica que resulta indispensable para el conjunto.

APARATOS Y SISTEMAS ORGÁNICOS

Hay órganos que desempeñan por sí mismos unas funciones concretas, como la piel que recubre todo nuestro cuerpo y proporciona protección a las estructuras internas, aunque tiene otros cometidos. Pero hay numerosos órganos que sólo pueden desarrollar sus actividades en combinación con otros íntimamente relacionados y que, en conjunto, constituyen una unidad funcional: un aparato o sistema.

En realidad, si bien los términos «aparato» y «sistema» se emplean como sinónimos, algunos matices los diferencian. Así, se habla de **aparato** cuando el conjunto de órganos integrantes está formado por distintos tejidos: por ejemplo, el aparato digestivo está compuesto entre otros por órganos tan dispares como la boca, el estómago y el hígado; el aparato respiratorio está formado entre otros órganos por la nariz, la laringe, los bronquios y los pulmones; y el aparato circulatorio está compuesto por el corazón, las arterias y las venas. En cambio, se habla de **sistema** cuando todos los componentes están constituidos por un mismo tejido: por ejemplo, el sistema nervioso consta básicamente de tejido nervioso; el sistema óseo y el sistema muscular en esencia están compuestos respectivamente por tejido óseo y tejido muscular, aunque ambos forman parte del aparato locomotor; y el sistema endocrino está integrado por diferentes órganos glandulares que secretan a la sangre hormonas.

Todos los aparatos y sistemas, sin embargo, están **relacionados entre sí** y las funciones de cada uno de ellos sólo pueden desarrollarse plenamente en dependencia con los otros: todos son necesarios para conformar un organismo autónomo. Así, limitándonos a los aparatos y sistemas ya mencionados, el aparato digestivo se encarga de la nutrición y el aparato respiratorio nos permite obtener oxígeno del medio ambiente, mientras que el sistema circulatorio hace posible que llegue la sangre

cargada de nutrientes y oxígeno a todos los tejidos, el aparato locomotor nos permite los movimientos requeridos para la vida cotidiana y el sistema nervioso junto con el sistema endocrino regulan toda la actividad corporal. Pero tan importantes como los descritos son muchos otros órganos: los de los sentidos, los del aparato urinario, los que participan en la reproducción...
A continuación, esta obra, tras describir sucintamente los componentes de las células y los diferentes sectores del cuerpo humano, pasa revista a todos y cada uno de los aparatos y sistemas de nuestro organismo.

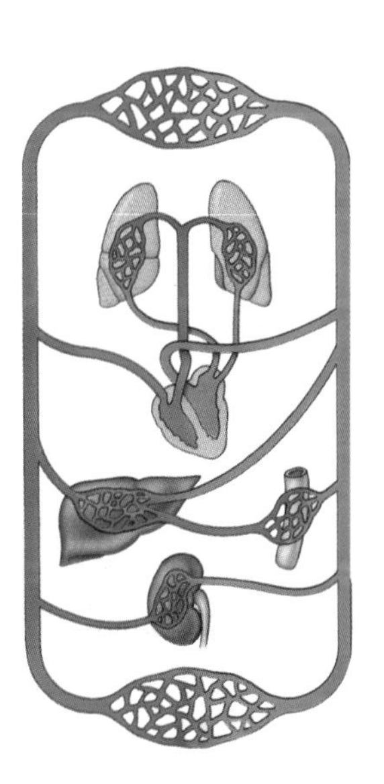

La diferencia entre un **sistema** (derecha, esquema del sistema nervioso) y un **aparato** (izquierda, esquema del aparato circulatorio) reside en que los componentes de un sistema están formados por un mismo tipo de tejido, mientras que un aparato está formado por componentes de distintos tejidos.

La célula es la **unidad más pequeña** del organismo humano y también el denominador común de todas las formas de vida: los organismos más simples, como las bacterias o los protozoos, están constituidos por una sola célula que desarrolla una vida independiente, mientras que nuestro cuerpo, en cambio, está formado por **miles de millones** de células que funcionan de manera coordinada. Las células de los diversos tejidos y órganos del cuerpo humano presentan muchas **diferencias** en cuanto a forma y dimensiones, pero todas tienen una estructura básica semejante.

COMPONENTES DE LA CÉLULA HUMANA

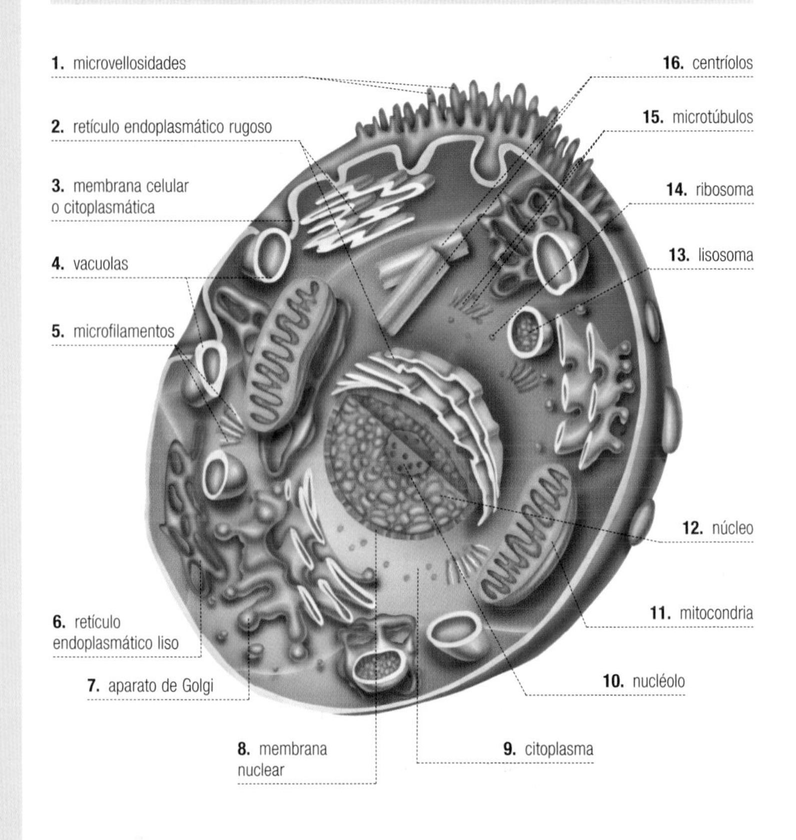

Componentes de la célula humana

1. **microvellosidades**
finos repliegues de la membrana citoplasmática que aumentan la superficie de la célula y participan en el intercambio de sustancias con el medio externo

2. **retículo endoplasmático rugoso**
sistema de membranas y microcanales donde se alojan numerosos ribosomas

3. **membrana celular o citoplasmática**
envoltura semipermeable de la célula a través de la cual se producen los intercambios entre el interior y el medio externo

4. **vacuolas**
pequeñas bolsas que sirven para almacenar reservas o para expulsar secreciones

5. **microfilamentos**
delgadas hebras de naturaleza proteica relacionadas con las corrientes internas de la célula y responsables de las contracciones de las fibras musculares

6. **retículo endoplasmático liso**
sistema de membranas y canales que facilita el transporte de sustancias por el interior de la célula

7. **aparato de Golgi**
conjunto de sáculos y túbulos encargado de transformar, transportar y eliminar los productos químicos necesarios para la actividad celular: es la «fábrica» de la célula

8. **membrana nuclear**
envoltura propia del núcleo que lo mantiene separado del citoplasma

9. **citoplasma**
sustancia de consistencia gelatinosa que ocupa el interior de la célula y en la que están inmersos el núcleo y todas las organelas

10. **nucléolo**
pequeño cuerpo esférico contenido en el núcleo que envía mensajes a los ribosomas del citoplasma para que fabriquen las proteínas

11. **mitocondria**
organela de forma alargada y tabicada donde se produce la combustión de los nutrientes: es una «central energética» de la célula

12. **núcleo**
formación esférica que contiene el material genético responsable del funcionamiento celular y de la transmisión de los caracteres hereditarios

13. **lisosoma**
diminuta bolsa que contiene en su interior enzimas y se encarga de digerir los alimentos y degradar los residuos de la célula

14. **ribosoma**
organela con forma de grano encargada de fabricar proteínas

15. **microtúbulos**
filamentos tubulares que forman una especie de esqueleto interno de la célula y contribuyen a mantener su forma

16. **centríolos**
organelas tubulares que intervienen en el proceso de división celular

ORGANELAS CELULARES

Se llaman organelas (u orgánulos) las diminutas estructuras que flotan en el citoplasma y desarrollan funciones específicas que resultan indispensables para la vida de la célula: síntesis de proteínas, obtención de energía, digestión de alimentos... Son el equivalente en la célula de los complejos órganos de nuestro cuerpo.

NÚCLEO CELULAR

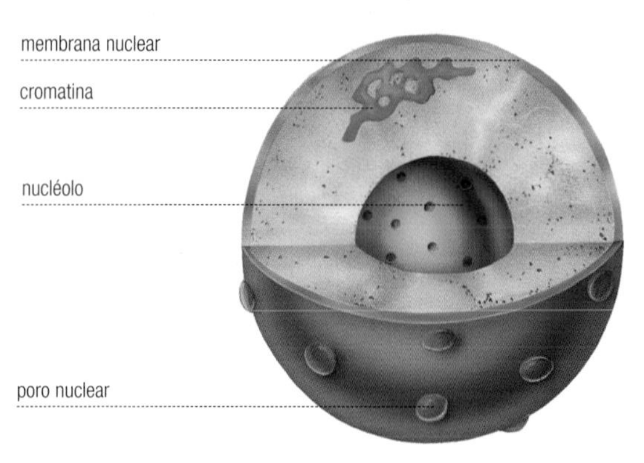

ESTRUCTURA DE UN CROMOSOMA

brazo largo

REPRESENTACIÓN DE LA CADENA DE ADN

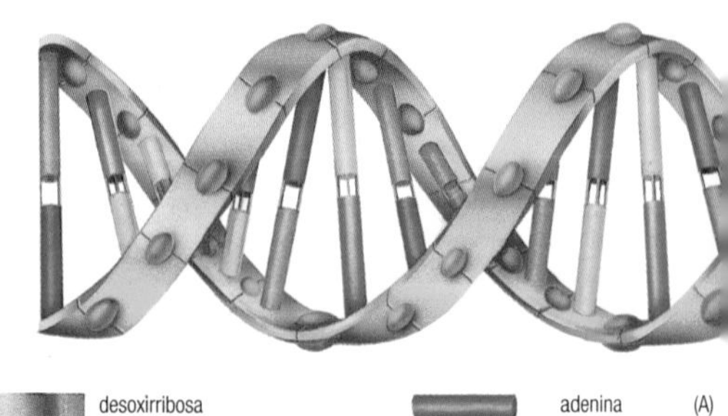

desoxirribosa

fosfato

puentes de hidrógeno

adenina (A)

guanina (G)

timina (T)

citosina (C)

CROMOSOMAS EN LA DIVISIÓN CELULAR

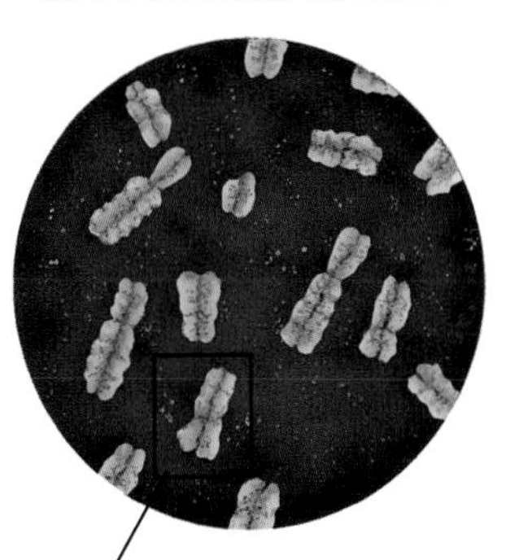

Las células humanas son de tipo eucariota, puesto que constan de un núcleo separado del citoplasma por una membrana propia en cuyo interior se encuentran los elementos que contienen la información hereditaria y rigen todas las funciones celulares. Dicha información está en unas moléculas de ácido desoxirribonucleico (ADN), sustancia que cuando la célula está en fase de reposo se encuentra dispersa en el núcleo en forma de cromatina, mientras que en el momento de la división celular se condensa y adopta la forma de unos bastoncillos denominados cromosomas.

Cada cromosoma está formado básicamente por un filamento de ADN, de longitud variable, y en su centro se aprecia una constricción, denominada centrómero, que lo divide en dos brazos de longitud desigual, uno corto y otro largo.

centrómero

brazo corto

ADN

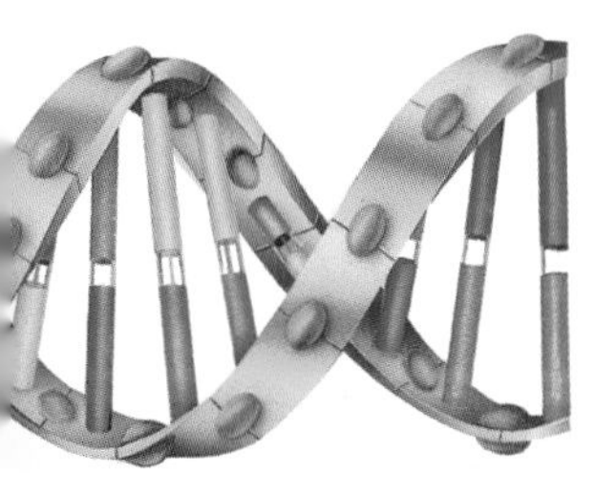

El ADN está formado por dos filamentos compuestos por moléculas de desoxirribosa y fosfatos enroscados en doble hélice y unidos mediante unas bases nitrogenadas enlazadas por puentes de hidrógeno, como si se tratara de una escalera de caracol. Hay cuatro tipos de bases nitrogenadas, denominadas adenina, guanina, timina y citosina, cuya relación es complementaria, puesto que cada una sólo puede vincularse con otra específica. La sucesión de estos elementos determina la constitución de los genes, que corresponden a fragmentos específicos de ADN y constituyen las unidades funcionales que determinan los caracteres hereditarios.

A pesar de las inmumerables variaciones individuales, el cuerpo de todos los seres humanos es semejante: básicamente está formado por la **cabeza**, el **tronco** y cuatro **extremidades**, las dos superiores (brazos) y las dos inferiores (piernas). Por supuesto, existen unas **diferencias** muy evidentes entre el cuer-

ANATOMÍA DEL HOMBRE

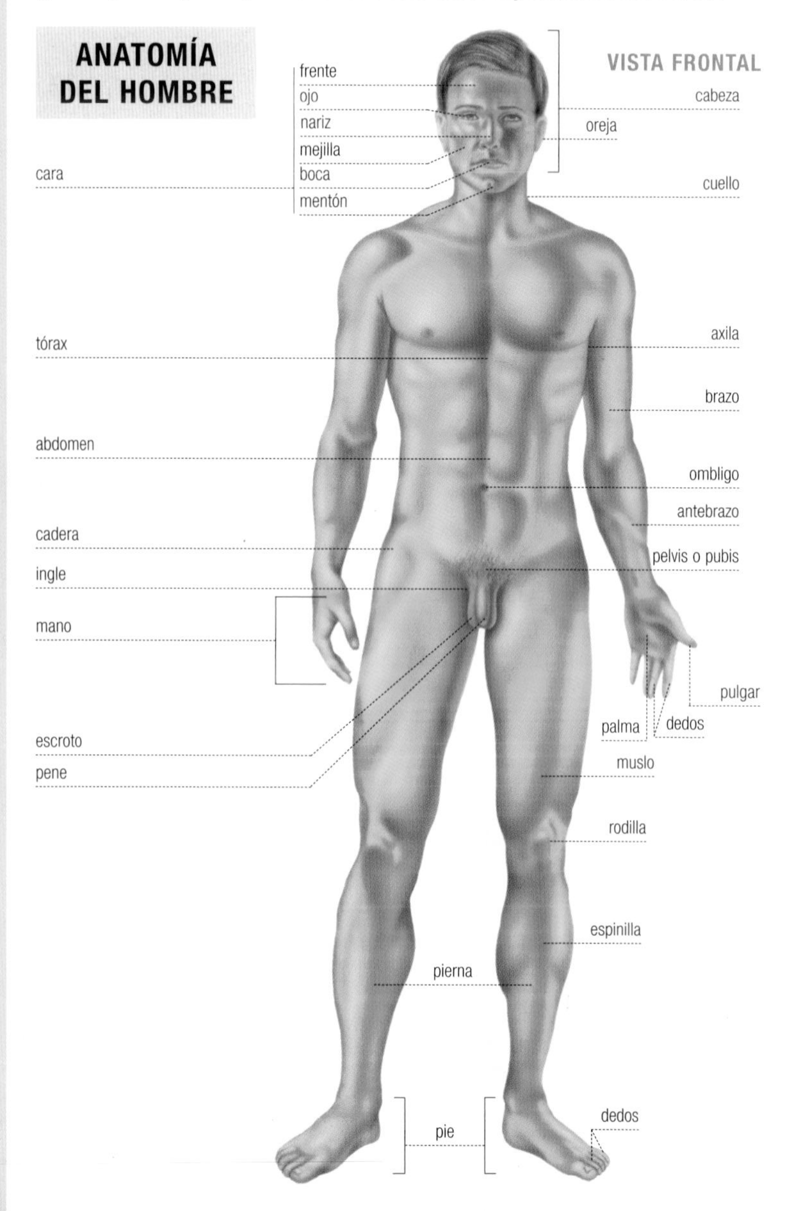

po del hombre y el de la mujer: el cuerpo masculino es más musculado y fibroso, el de la mujer tiene líneas más redondeadas y gráciles, pero sobre todo son distintos los órganos genitales y los caracteres sexuales secundarios, como la distribución del vello corporal y el desarrollo de los pechos.

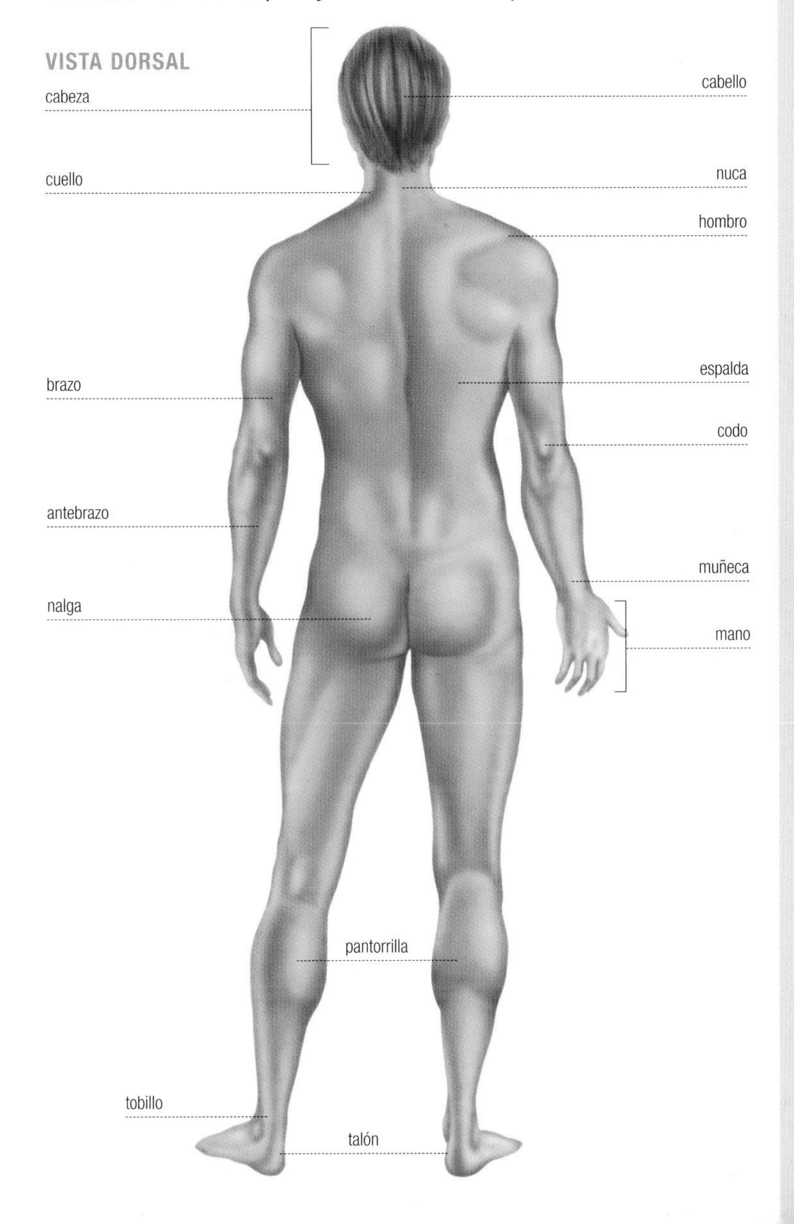

ANATOMÍA DE LA MUJER

VISTA FRONTAL

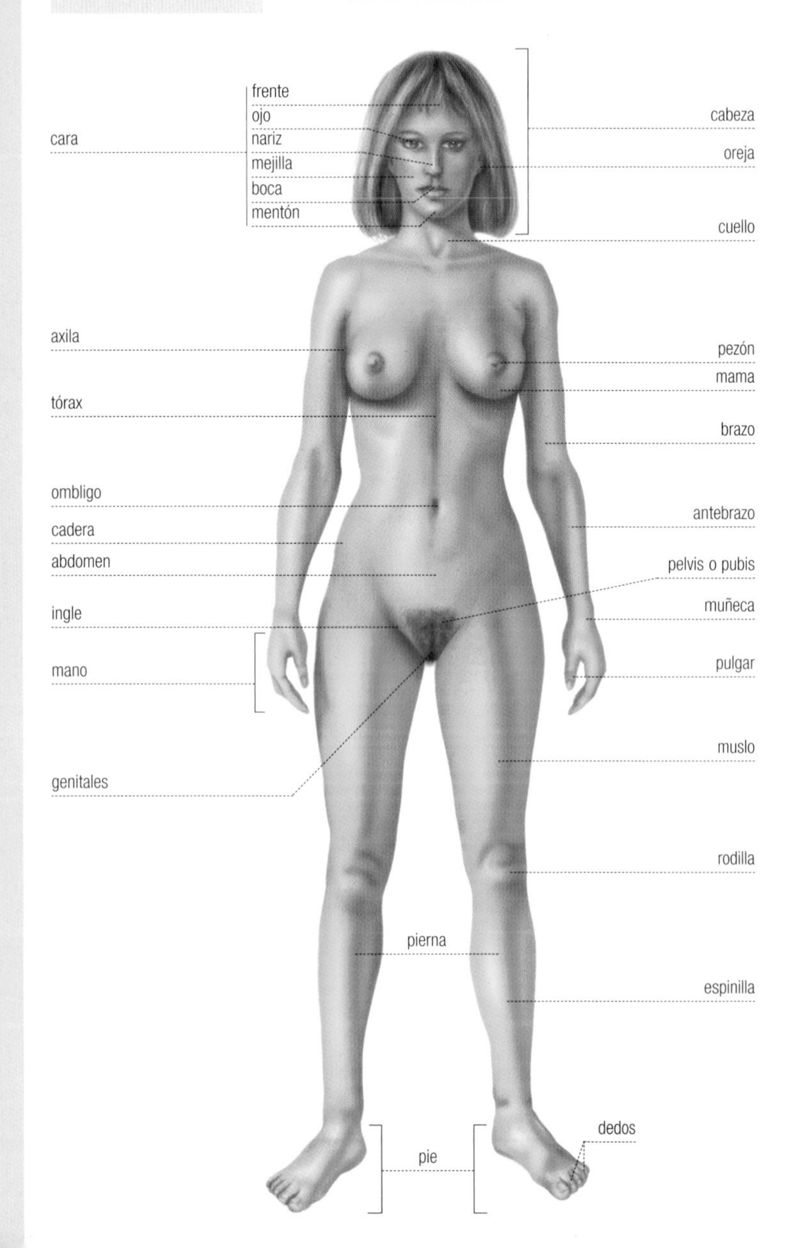

VISTA DORSAL

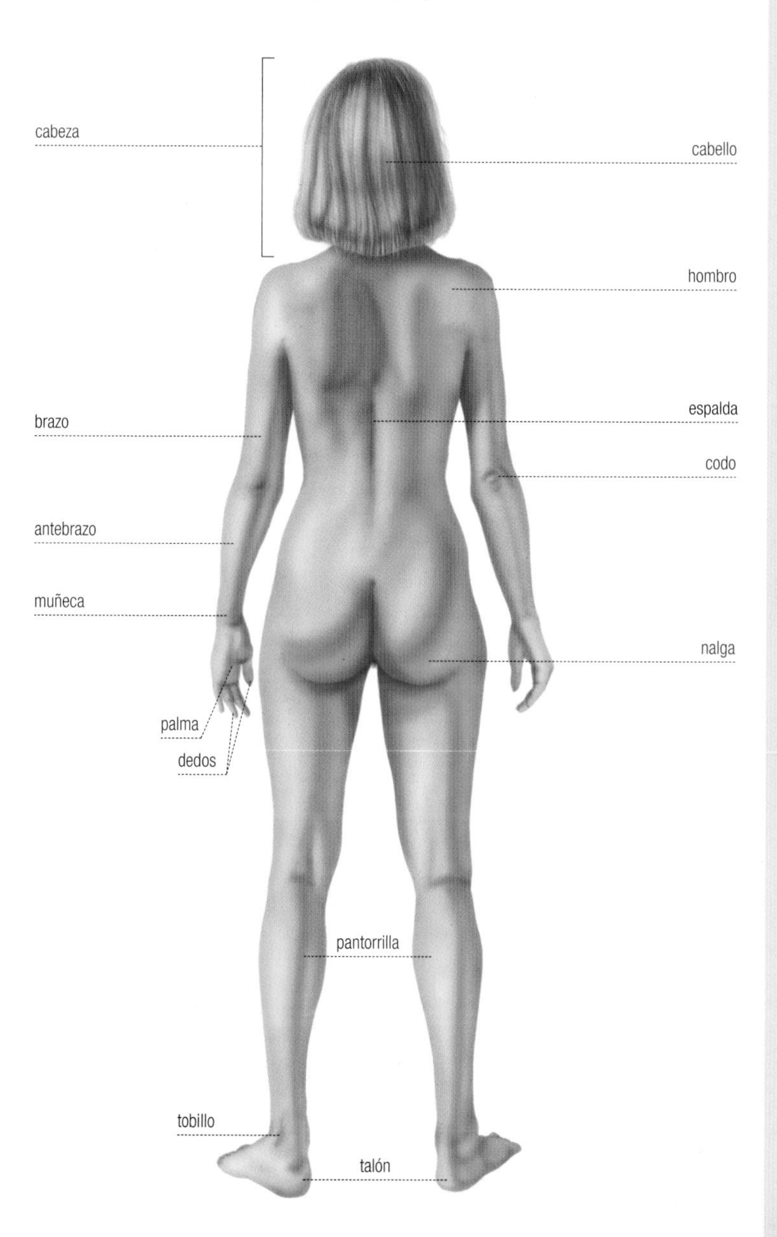

Los huesos son unas piezas duras y resistentes, de formas y tamaños muy diversos, que constituyen el **armazón del cuerpo** y hacen posible nuestros movimientos. No se trata, sin embargo, de elementos inertes: están compuestos por un **tejido vivo** que se mantiene en constante actividad y sobre el cual se depositan minerales que les confieren su particular consistencia.

ESQUEMA DEL TEJIDO ÓSEO

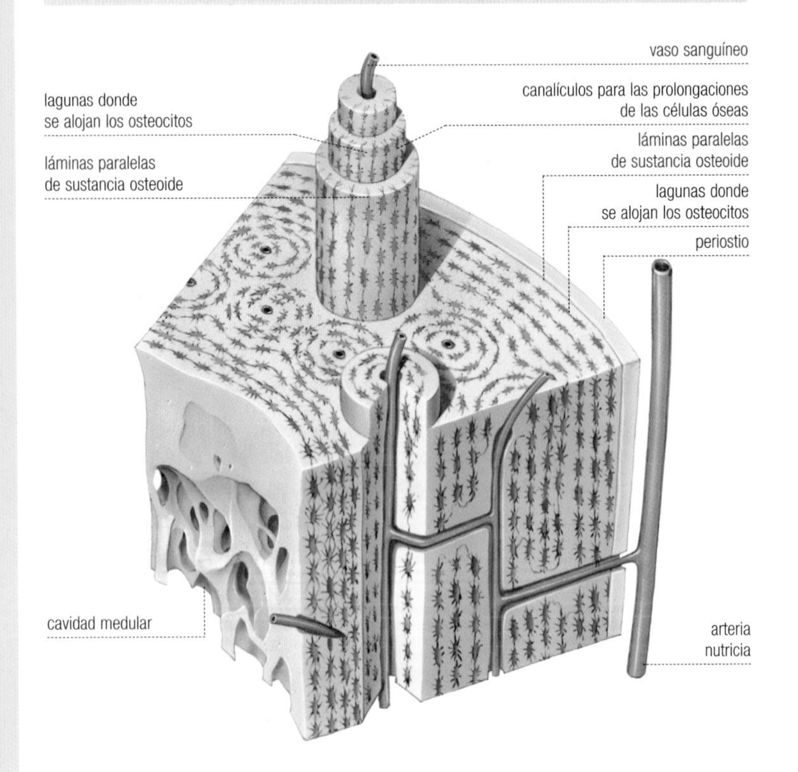

El tejido óseo es un complejo entramado de elementos orgánicos y minerales en constante renovación. Unas células especializadas, los **osteoblastos**, fabrican una matriz orgánica de fibras colágenas y un material amorfo, la **sustancia osteoide**, donde se depositan minerales como el calcio y el fósforo; cuando los osteoblastos quedan atrapados en la sustancia osteoide, se transforman en **osteocitos**, inactivos.

La sustancia osteoide se dispone en láminas concéntricas alrededor de un conducto por donde pasa un vaso sanguíneo y atravesadas por multitud de canalículos transversales.

COMPONENTES DEL TEJIDO ÓSEO

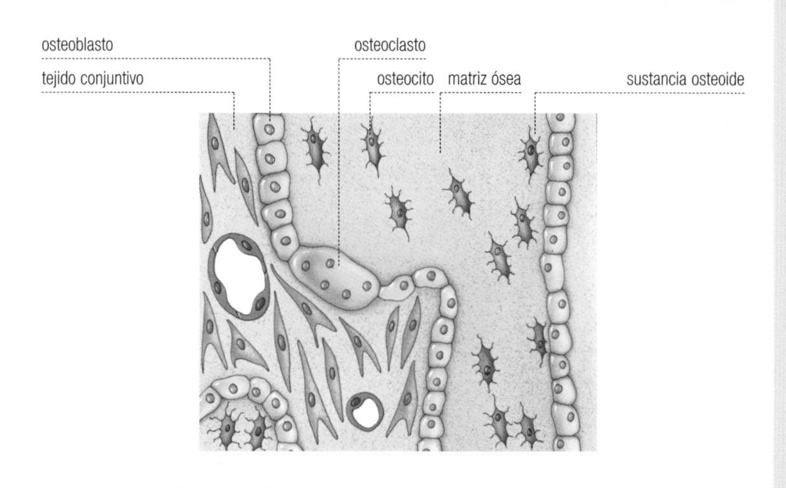

FORMACIÓN Y CRECIMIENTO DEL HUESO

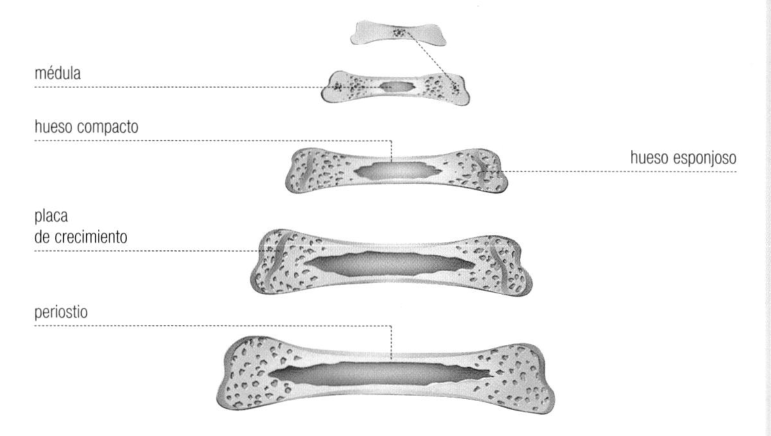

Quedan formadas así infinidad de diminutas **trabéculas** cuyo número y disposición permiten distinguir dos tipos de tejido óseo: el **compacto**, más duro, que constituye la corteza de los huesos, y el **esponjoso**, menos denso y de aspecto poroso, que contiene la médula ósea.

En el nacimiento los huesos están formados por **cartílago**, que poco a poco es reemplazado por tejido óseo.

TIPOS DE HUESOS

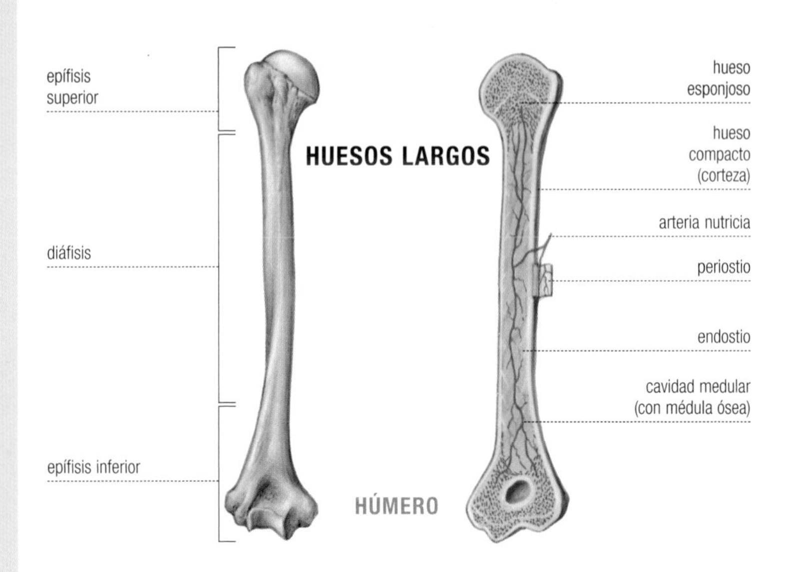

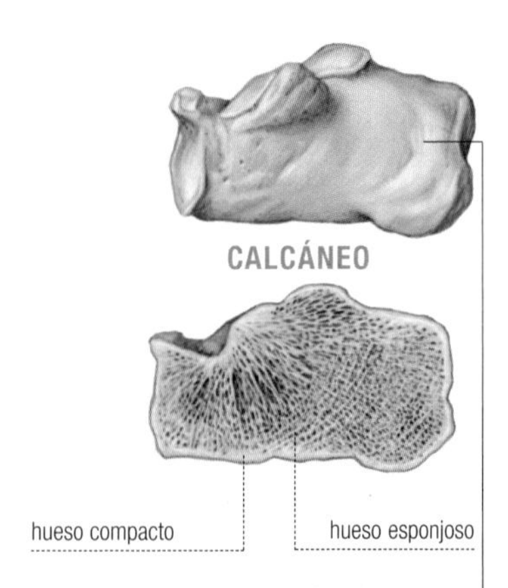

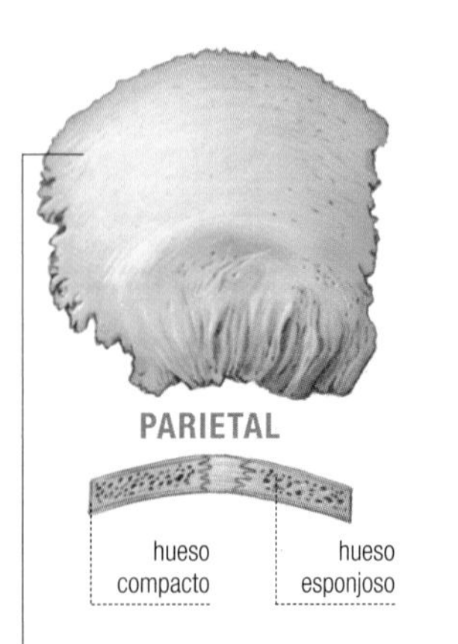

HUESOS CORTOS

de pequeño tamaño y forma diversa, por lo común cúbicos o cilíndricos, están cubiertos por una delgada capa de tejido compacto y rellenos de tejido óseo esponjoso.

HUESOS PLANOS

de formas y dimensiones diversas, más o menos anchos, están constituidos por dos capas de tejido óseo compacto que contiene un tejido óseo esponjoso llamado díploe.

HUESOS LARGOS

constan de un cuerpo central (diáfisis) y dos extremos (epífisis), con una capa externa de tejido compacto (corteza) recubierta por una membrana dura (periostio) y otra interna resistente (endostio). Los extremos están ocupados por un tejido óseo esponjoso que alberga la médula ósea roja, mientras que en el cuerpo hay una cavidad que alberga la médula ósea amarilla.

VASCULARIZACIÓN ÓSEA

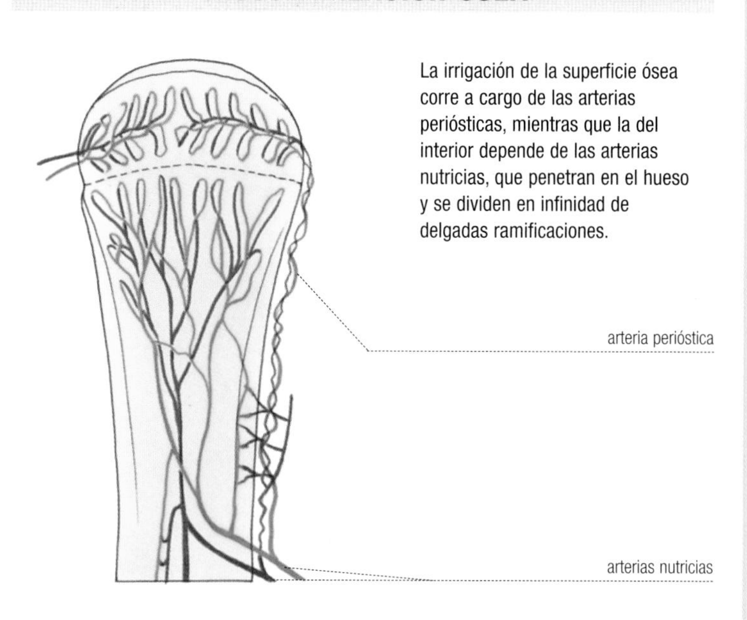

La irrigación de la superficie ósea corre a cargo de las arterias periósticas, mientras que la del interior depende de las arterias nutricias, que penetran en el hueso y se dividen en infinidad de delgadas ramificaciones.

FUNCIONES DE LOS HUESOS

- Constituyen la estructura rígida que sirve de armazón al organismo, determinando su forma y tamaño.
- Protegen diversos órganos internos blandos, vulnerables a los golpes y las agresiones externas.
- Son los componentes rígidos del aparato locomotor: brindan los puntos de apoyo a los músculos y constituyen así los segmentos de palanca que permiten la movilidad de las distintas partes del cuerpo.
- Constituyen una importante reserva de minerales como el calcio y el fósforo.
- Contienen la médula ósea, donde se producen las células de la sangre.

ESQUELETO

VISTA FRONTAL

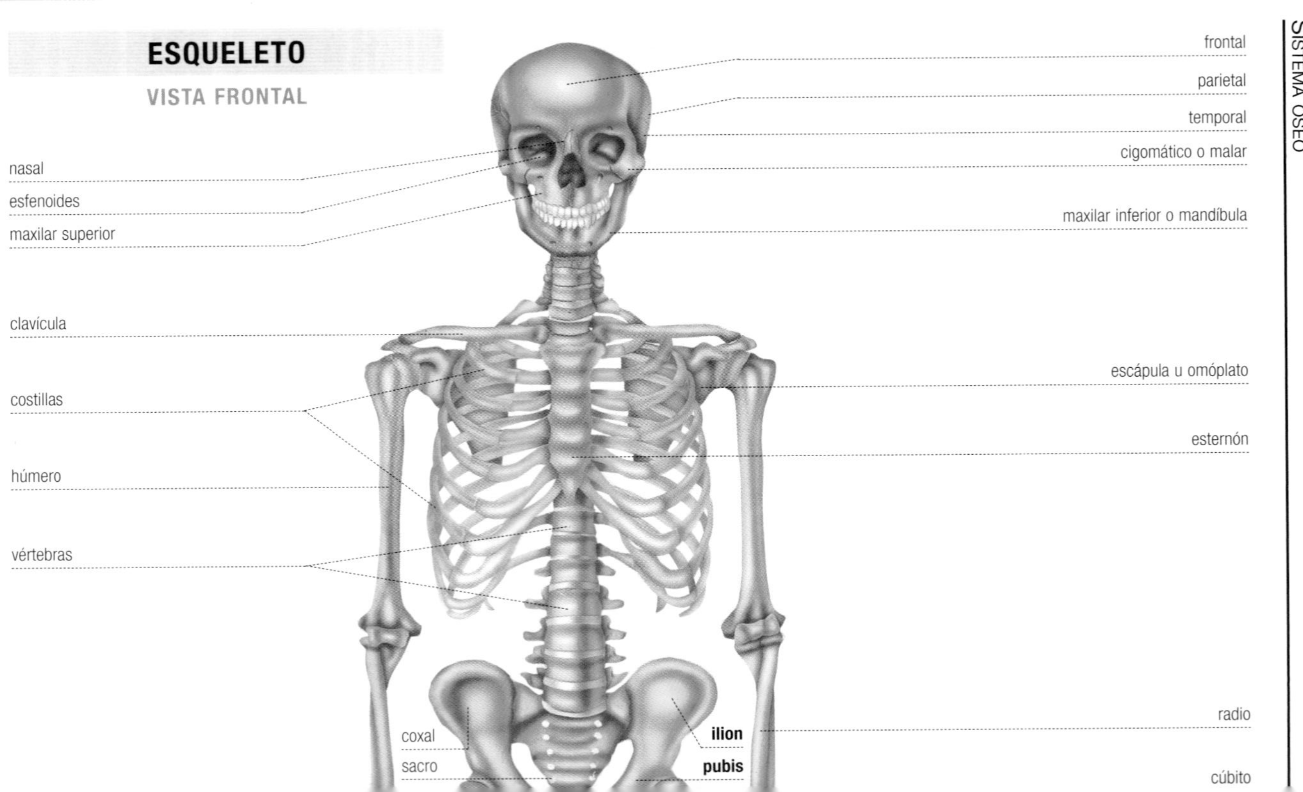

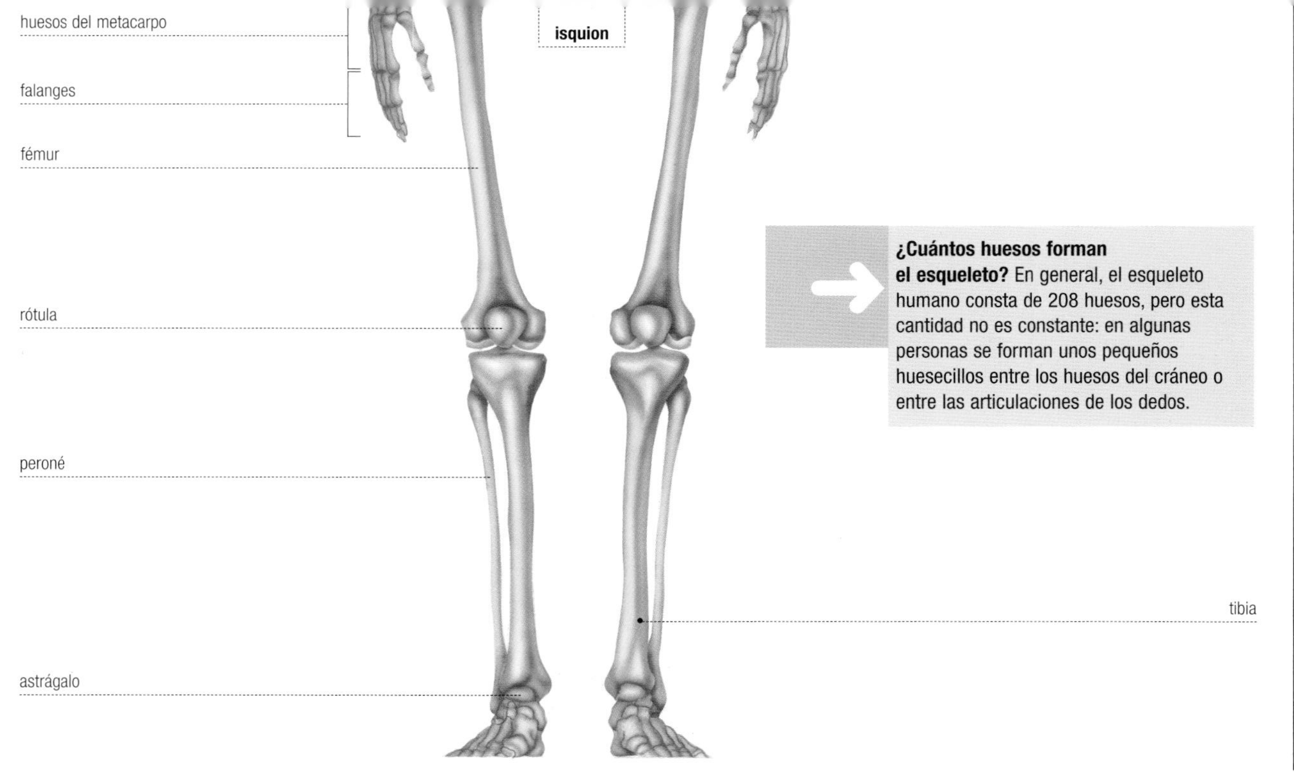

¿Cuántos huesos forman el esqueleto? En general, el esqueleto humano consta de 208 huesos, pero esta cantidad no es constante: en algunas personas se forman unos pequeños huesecillos entre los huesos del cráneo o entre las articulaciones de los dedos.

ESQUELETO

VISTA DORSAL

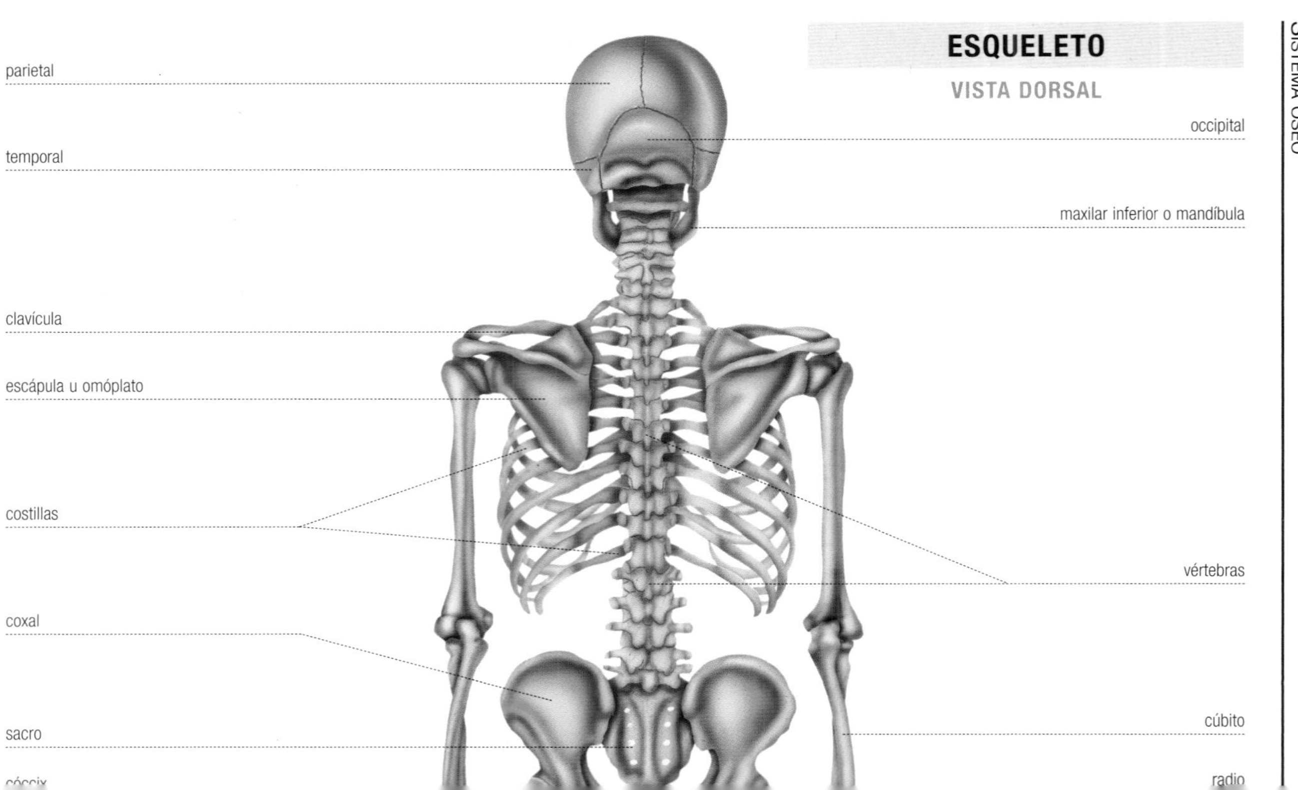

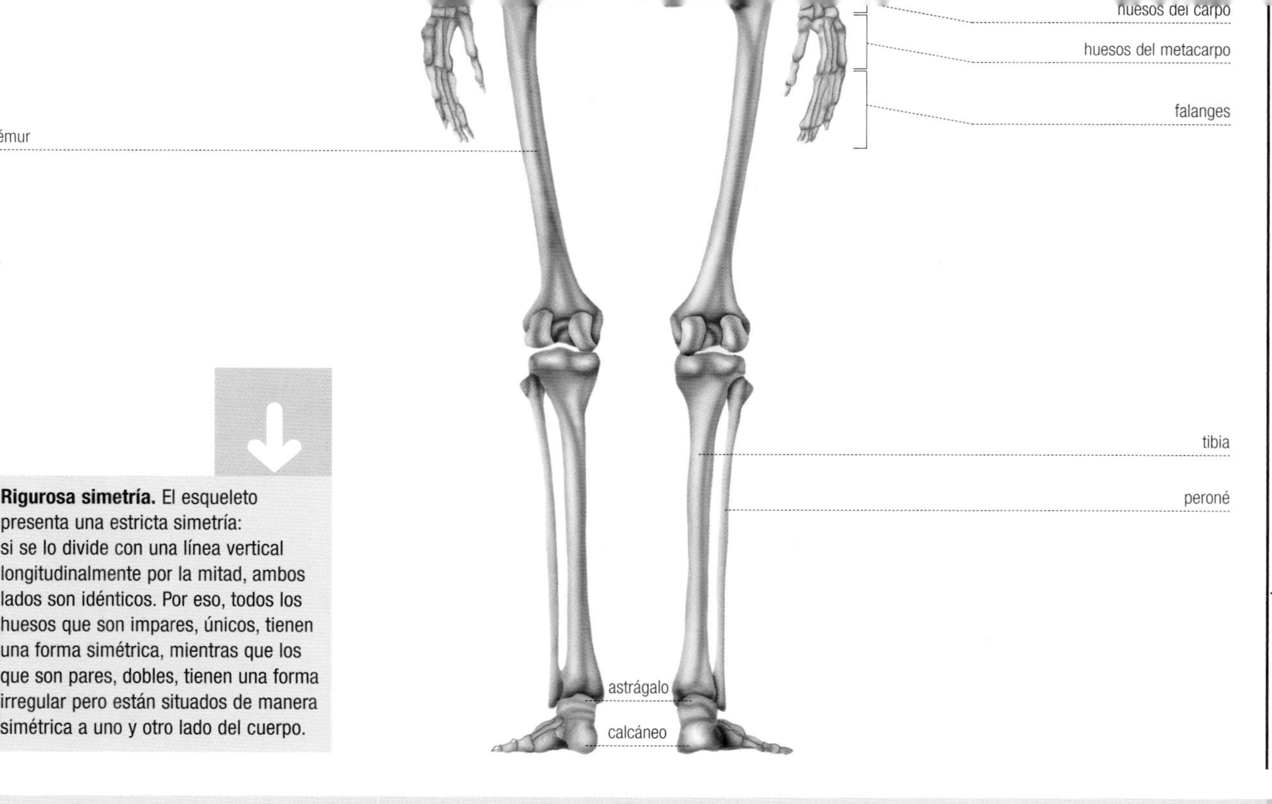

Rigurosa simetría. El esqueleto presenta una estricta simetría: si se lo divide con una línea vertical longitudinalmente por la mitad, ambos lados son idénticos. Por eso, todos los huesos que son impares, únicos, tienen una forma simétrica, mientras que los que son pares, dobles, tienen una forma irregular pero están situados de manera simétrica a uno y otro lado del cuerpo.

HUESOS DE LA CABEZA

VISTA FRONTAL

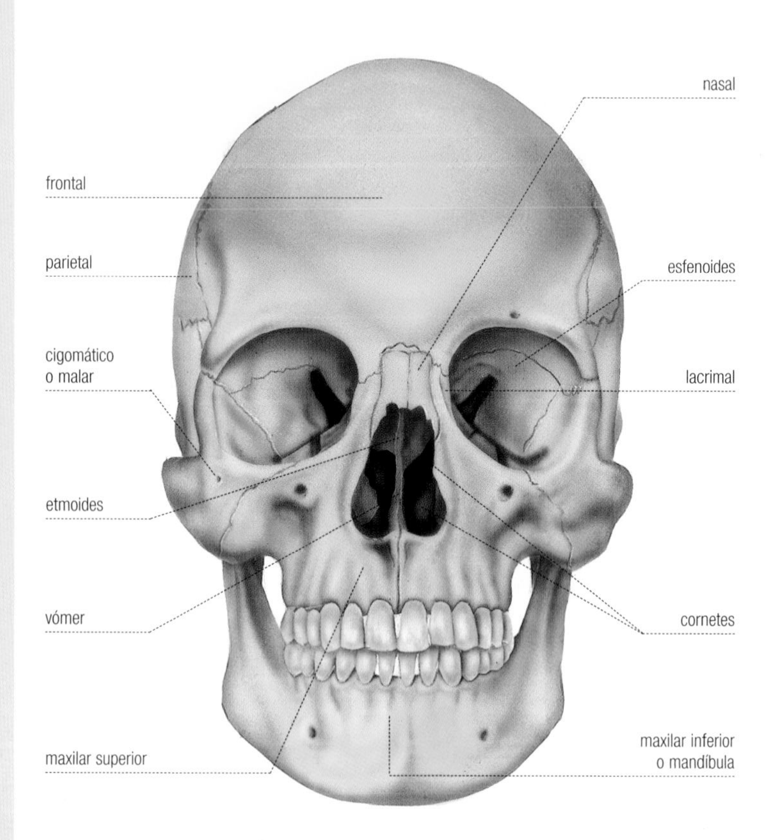

EL ESQUELETO DE LA CABEZA SE DIVIDE EN DOS PARTES:

- El **cráneo**, que constituye la parte posterior y está compuesto por ocho huesos soldados entre sí formando una cavidad en la que se aloja el encéfalo.
- La **cara**, que constituye la parte anterior y está formada por diversos huesos unidos entre sí a excepción del maxilar inferior, que es móvil. Aloja la mayoría de los órganos de los sentidos y contiene el inicio de los aparatos respiratorio y digestivo.

HUESOS DE LA CABEZA

VISTA DE LADO

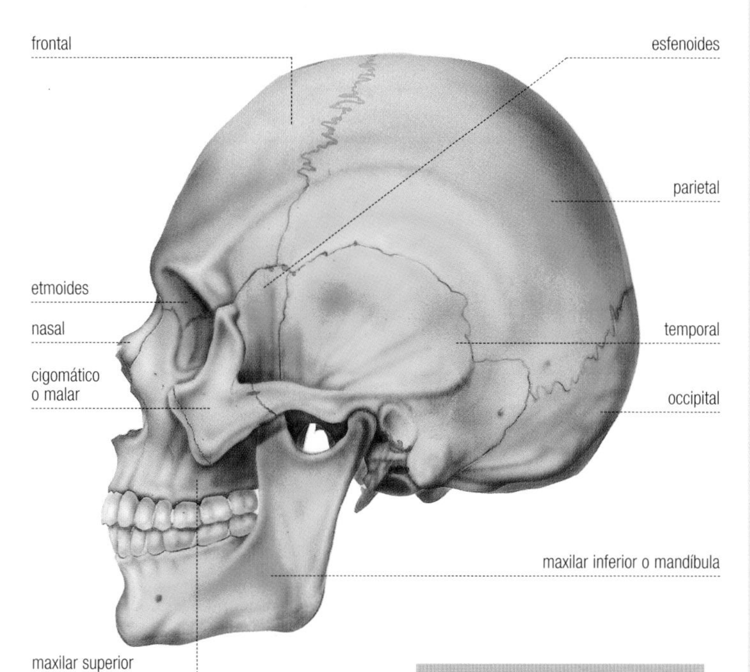

HUESOS DE LA CABEZA

VISTA DE ATRÁS

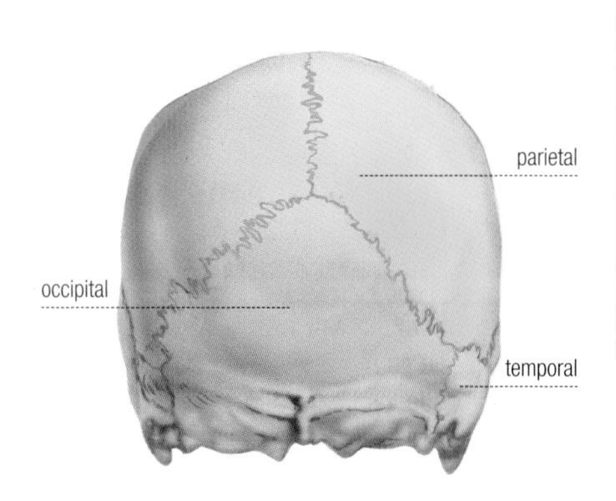

LOS HUESECILLOS DEL OÍDO MEDIO

En el oído medio, contenido en el espesor del hueso temporal, se encuentra una cadena de tres huesecillos que no forman propiamente parte del esqueleto, pero que cumplen un papel fundamental en la audición: el martillo, el yunque y el estribo.

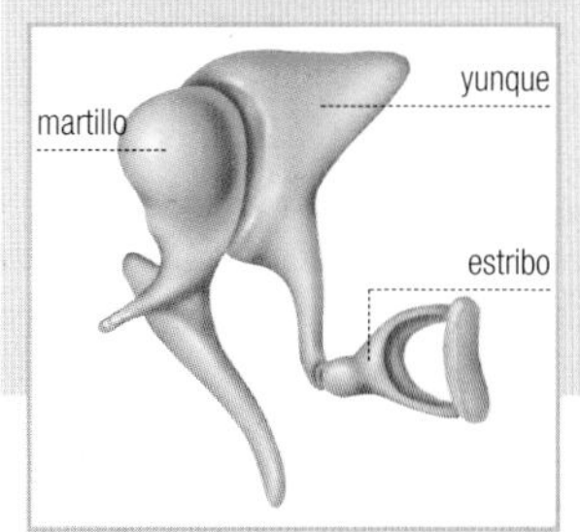

COLUMNA VERTEBRAL

VISTA DE LADO

La columna vertebral constituye el **eje del tronco**: se extiende a lo largo de toda la línea media de la espalda, desde la base del cráneo hasta la pelvis. Está compuesta por una serie de huesos superpuestos uno sobre otro, las **vértebras**: en total hay 34 vértebras, pero sólo las 24 superiores son independientes, mientras que las últimas están fundidas y forman los huesos **sacro** y **cóccix**.

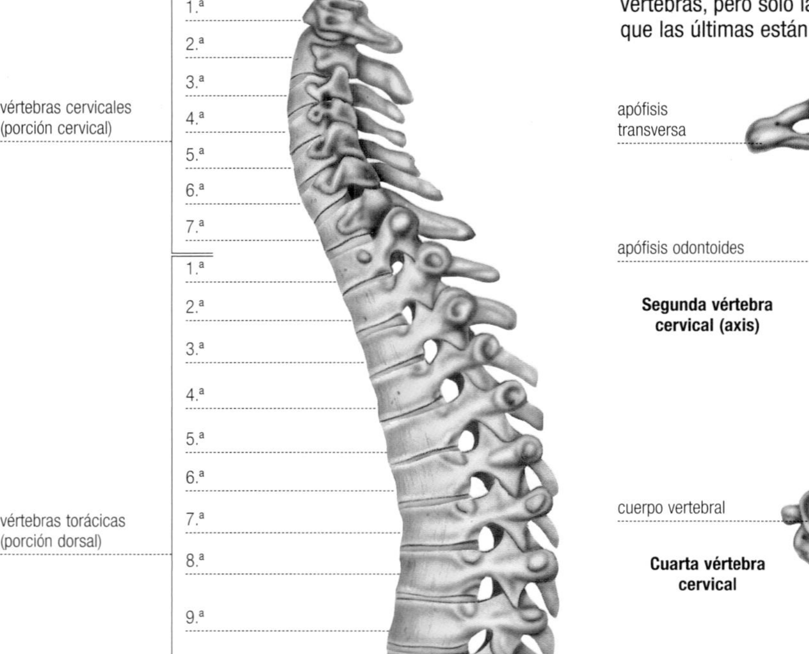

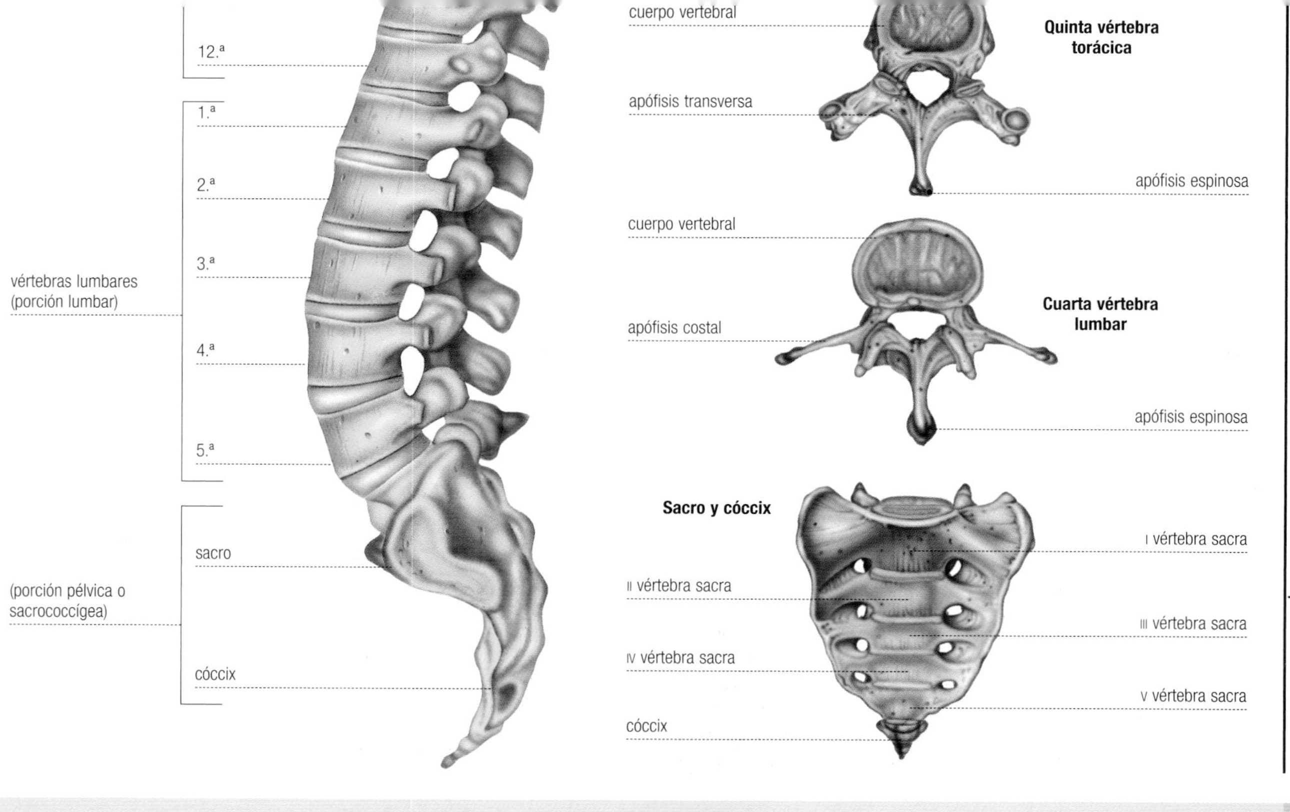
12.ª
1.ª
2.ª
3.ª
4.ª
5.ª
vértebras lumbares
(porción lumbar)
sacro
(porción pélvica o
sacrococcígea)
cóccix
Quinta vértebra
torácica
cuerpo vertebral
apófisis transversa
apófisis espinosa
Cuarta vértebra
lumbar
cuerpo vertebral
apófisis costal
apófisis espinosa
Sacro y cóccix
I vértebra sacra
II vértebra sacra
III vértebra sacra
IV vértebra sacra
V vértebra sacra
cóccix

ESCÁPULA (U OMÓPLATO) DERECHA

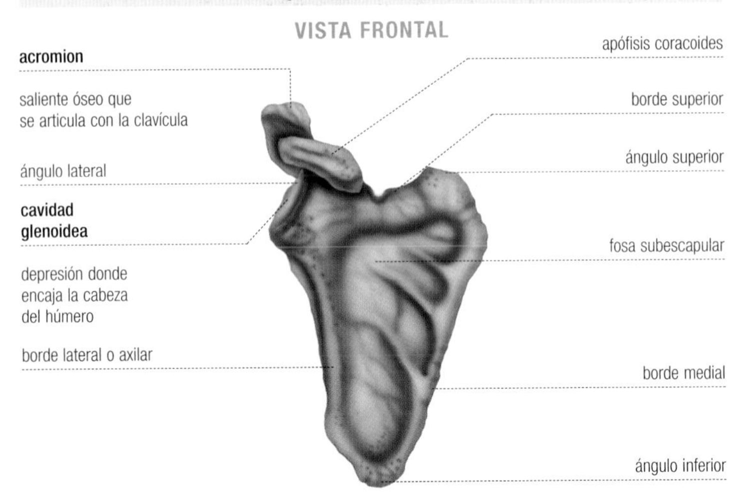

MANO DERECHA

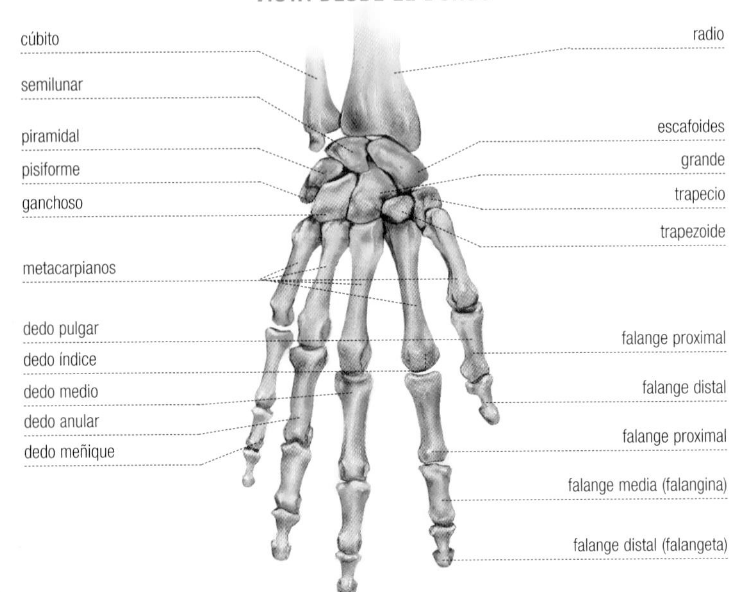

El esqueleto del miembro superior está formado por los huesos del **brazo** (húmero), del **antebrazo** (cúbito y radio) y de la **mano** (carpo, metacarpo y dedos).

ESQUELETO DE LA EXTREMIDAD SUPERIOR

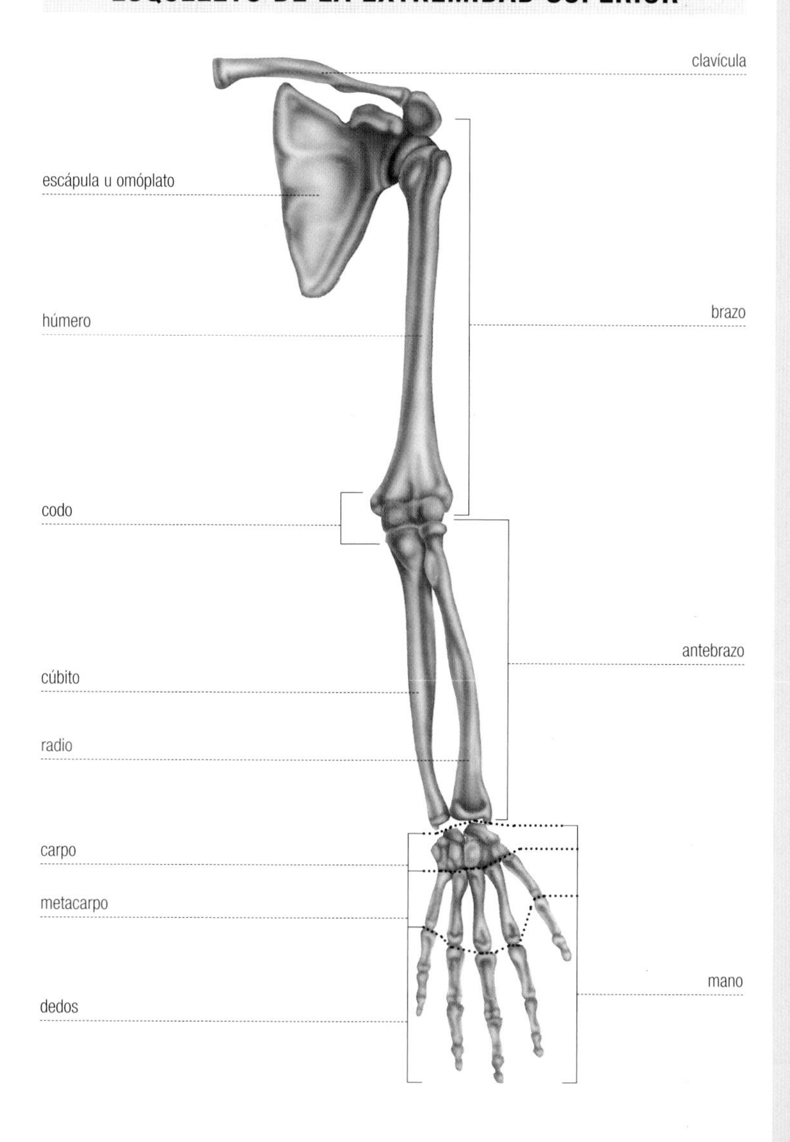

El esqueleto del miembro inferior está formado por los huesos del **muslo** (fémur), de la **pierna** (tibia y peroné) y del **pie** (tarso, metatarso y dedos).

ESQUELETO DE LA EXTREMIDAD INFERIOR

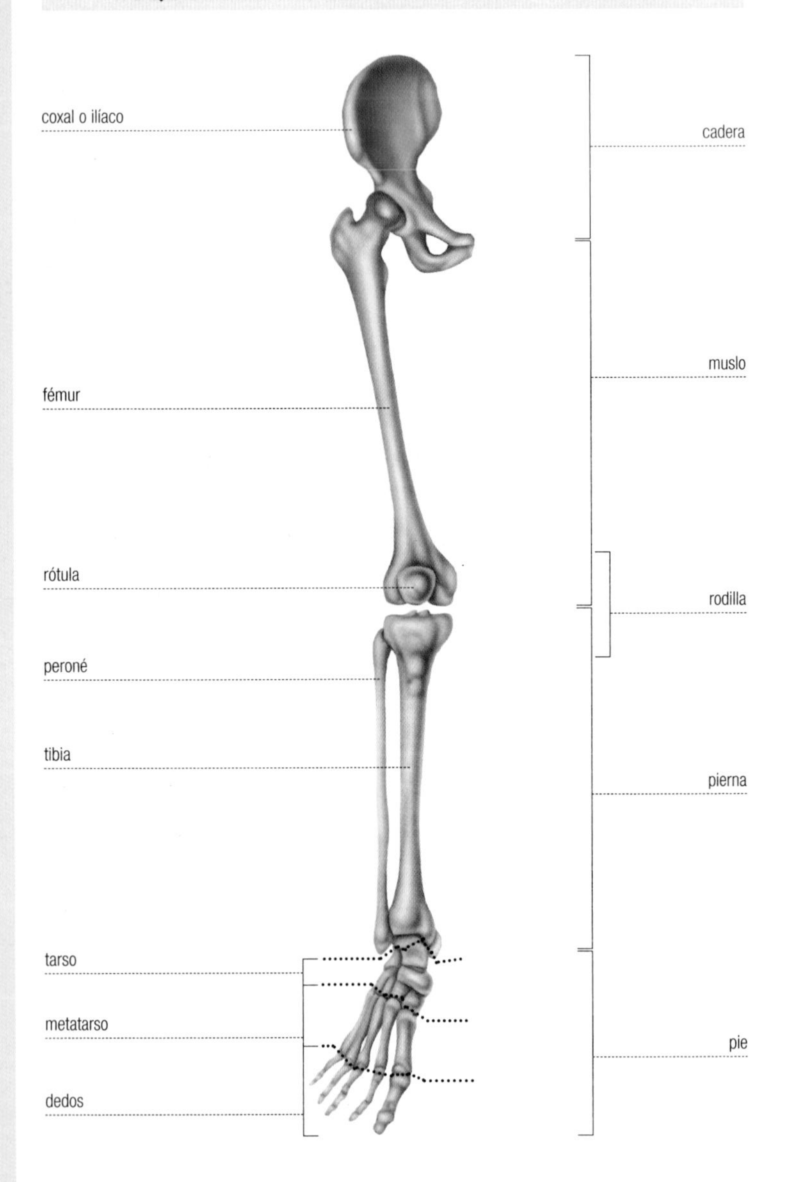

COXAL (O ILÍACO) DERECHO

VISTA FRONTAL

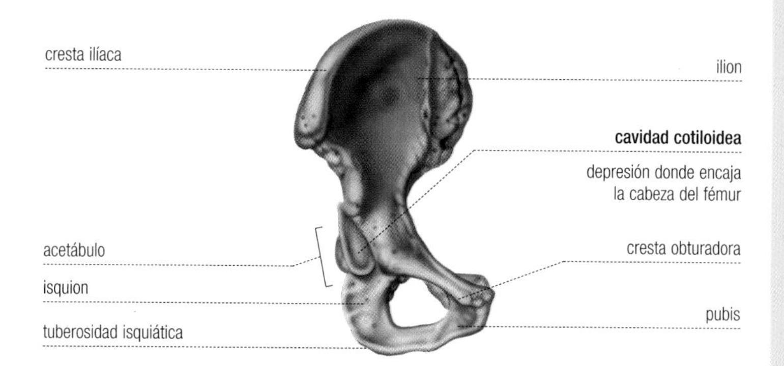

El esqueleto del pie está formado por distintos sectores:

- el **tarso**, la parte posterior, compuesto por ocho huesos de forma irregular dispuestos en dos hileras horizontales.
- el **metatarso**, que corresponde al empeine del pie, compuesto por los cinco huesos metatarsianos.
- los **dedos**, cada uno formado por tres huesos, las falanges, a excepción del dedo gordo, que sólo tiene dos.

PIE DERECHO

VISTA DE LADO

tibia
navicular o escafoides
cuneiforme medio o cuña intermedia
peroné
cuneiforme interno o cuña media
astrágalo
cuneiforme externo o cuña lateral
calcáneo
tuberosidad del calcáneo
cuboides
huesos
del metatarso
falanges
tubérculo del metatarsiano

Las articulaciones constituyen los **puntos de contacto** entre los diversos huesos que forman el esqueleto. En el cuerpo humano hay más de 200 articulaciones, pero son de distinto tipo y con funciones diversas: unas son responsables de los movimientos de distintas partes del esqueleto, mientras que otras, en cambio, tienen poca movilidad o son fijas y sirven para sostener y mantener unidas otras partes del mismo.

TIPOS DE ARTICULACIONES

sinartrosis
son articulaciones fijas, desprovistas de movimiento, constituidas por la unión sólida de dos o más segmentos óseos que forman así una capa protectora para los tejidos blandos que recubren

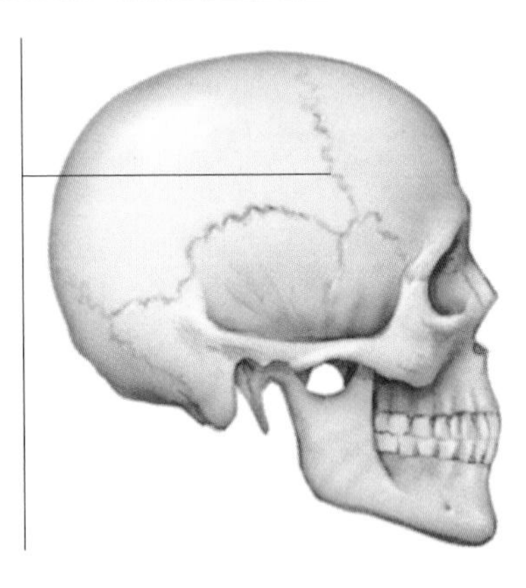

disco intervertebral

vértebra

anfiartrosis
estas articulaciones presentan un grado mínimo de movilidad: los huesos no están vinculados directamente entre sí, sino separados por un fibrocartílago cuya consistencia permite que se deforme provisionalmente para proporcionar cierto grado de movimiento a los segmentos óseos

diartrosis

son las articulaciones que permiten una amplia gama de movimientos, de las cuales hay diversos tipos

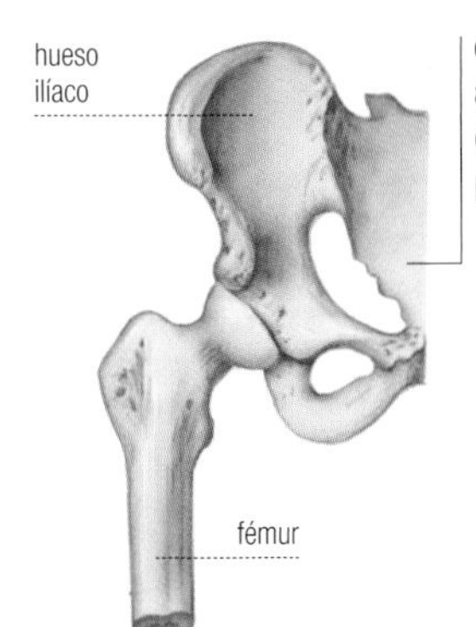

enartrosis
articulación móvil constituida por un segmento óseo esférico que encaja dentro de una cavidad y por tanto puede moverse en todos los sentidos

artrodias
articulación móvil constituida por segmentos óseos planos que sólo pueden deslizarse entre sí

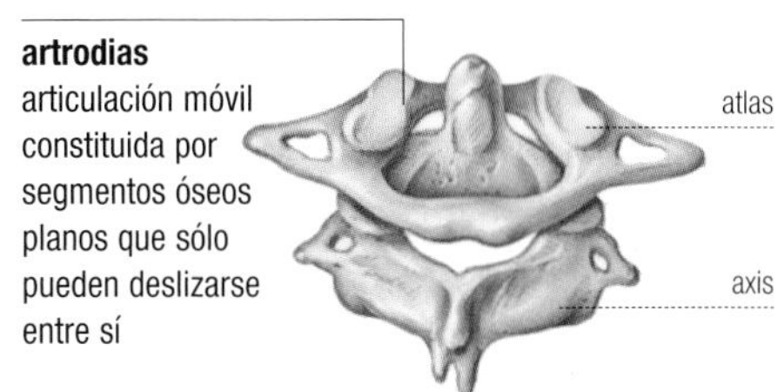

condiloartrosis
articulación móvil constituida por un segmento óseo redondeado o elíptico y otro que presenta una concavidad a modo de molde del primero

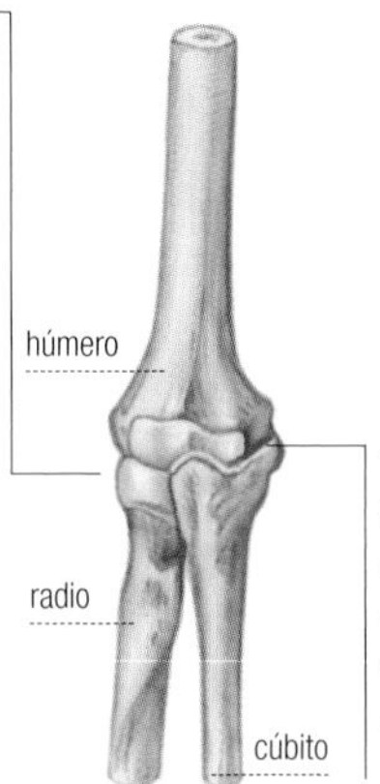

trocleartrosis
articulación móvil constituida por un segmento óseo con forma de polea, ya que presenta una depresión en el centro, y otro que tiene una cresta que encaja en el canal de la polea

COMPONENTES DE UNA ARTICULACIÓN MÓVIL

En una articulación móvil, además de los huesos vinculados, hay unos elementos destinados a proteger los extremos óseos y otros que garantizan la estabilidad del conjunto:

- **cartílago articular:** delgada capa de tejido elástico y resistente que recubre los extremos óseos e impide su roce directo para evitar el desgaste;
- **cápsula articular:** membrana fibrosa que engloba toda la articulación e impide así que los segmentos óseos se desplacen en exceso;
- **membrana sinovial:** capa de tejido liso y brillante que tapiza por dentro la cápsula articular y segrega un líquido viscoso que rellena la articulación, encargado de lubricar y proporcionar nutrición a los cartílagos articulares;
- **ligamentos:** bandas fibrosas resistentes que confieren estabilidad a la articulación.

ARTICULACIÓN DE LA RODILLA

VISTA DE LADO EN SECCIÓN

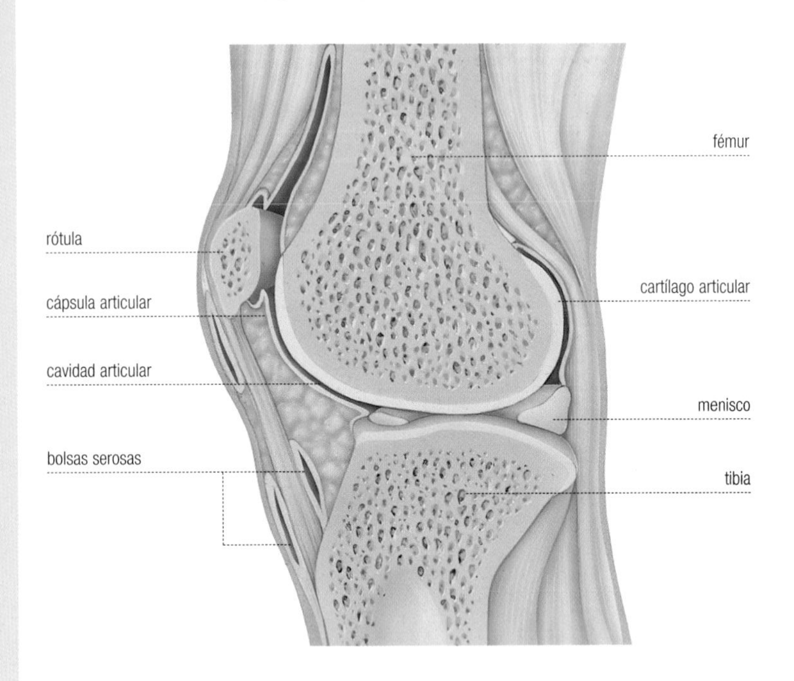

ARTICULACIÓN DEL HOMBRO

VISTA FRONTAL EN SECCIÓN

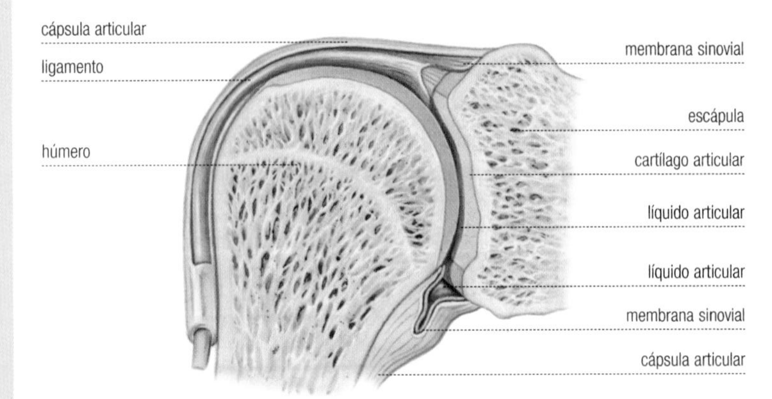

ARTICULACIÓN DE LA CADERA

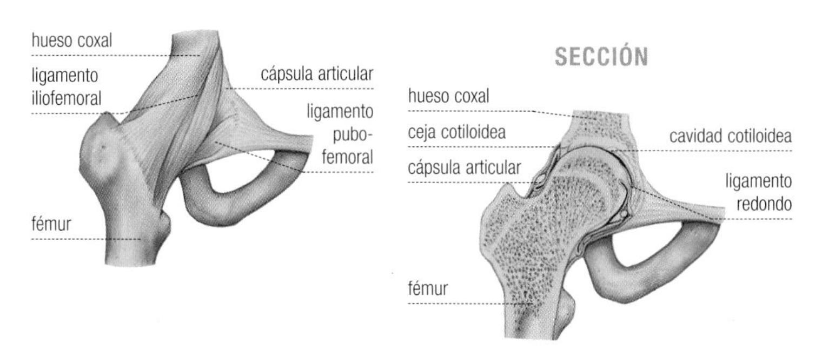

MENISCOS

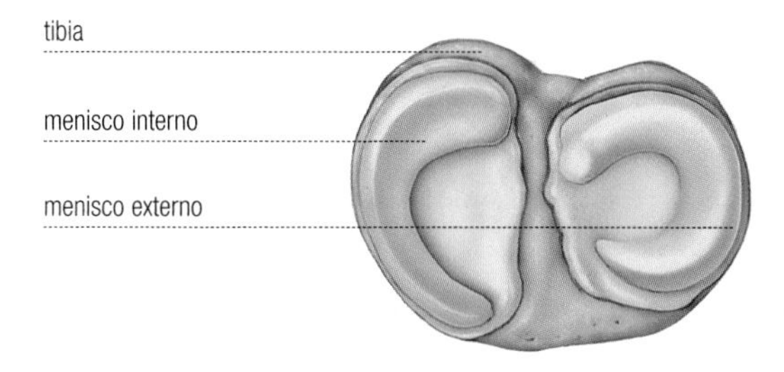

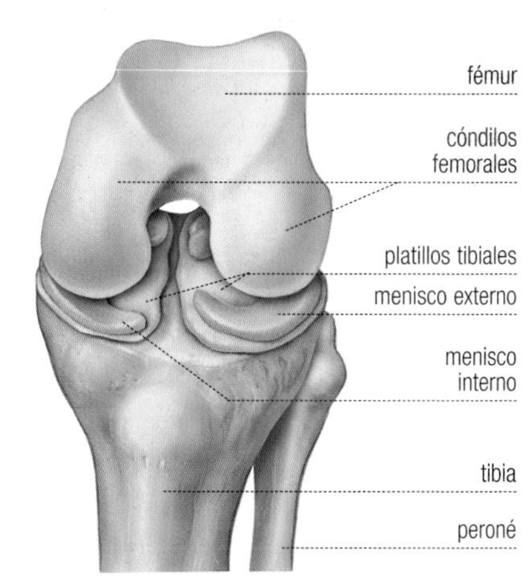

Los meniscos son unos **cartílagos fibrosos** interpuestos entre los segmentos óseos de algunas articulaciones que aumentan la superficie de contacto entre los huesos, distribuyen mejor las presiones y limitan los movimientos extremos. Hay meniscos en diversas articulaciones, pero los más importantes son los dos presentes en la rodilla.

ESTRUCTURA DE LOS MÚSCULOS

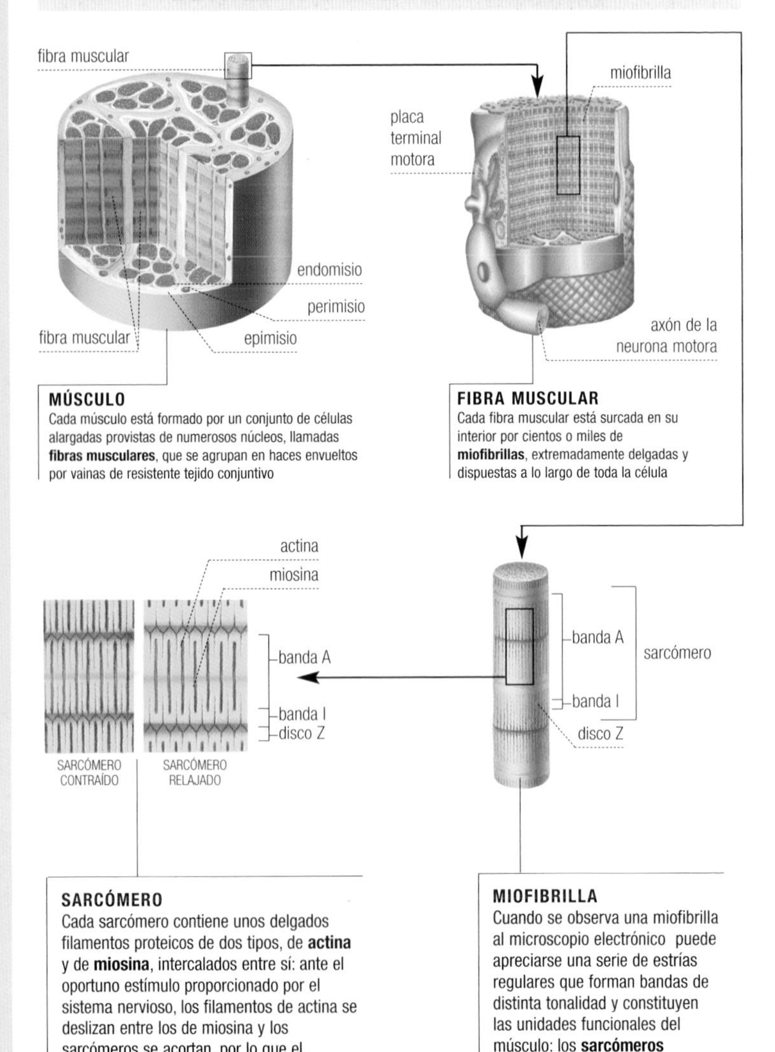

MÚSCULO
Cada músculo está formado por un conjunto de células alargadas provistas de numerosos núcleos, llamadas **fibras musculares**, que se agrupan en haces envueltos por vainas de resistente tejido conjuntivo

FIBRA MUSCULAR
Cada fibra muscular está surcada en su interior por cientos o miles de **miofibrillas**, extremadamente delgadas y dispuestas a lo largo de toda la célula

SARCÓMERO
Cada sarcómero contiene unos delgados filamentos proteicos de dos tipos, de **actina** y de **miosina**, intercalados entre sí: ante el oportuno estímulo proporcionado por el sistema nervioso, los filamentos de actina se deslizan entre los de miosina y los sarcómeros se acortan, por lo que el músculo se contrae.

MIOFIBRILLA
Cuando se observa una miofibrilla al microscopio electrónico puede apreciarse una serie de estrías regulares que forman bandas de distinta tonalidad y constituyen las unidades funcionales del músculo: los **sarcómeros**

Más de 600. Unos minúsculos y delicados, otros grandes y potentes, en el cuerpo humano pueden contarse unos 640 músculos diferentes.

Los músculos son unas **masas carnosas** muy especiales, puesto que tienen la propiedad de contraerse y relajarse, con lo que se modifica su longitud. Hay diversos tipos de músculos, pero los llamados esqueléticos, que están insertados en los huesos directamente o mediante bandas fibrosas (tendones), pueden contraerse según nuestra voluntad y lograr así que se muevan las distintas partes del cuerpo: gracias a la acción de los músculos podemos caminar y saltar, agarrar objetos y soltarlos, pegar o acariciar, masticar y silbar, rascarnos la nariz...

LA FORMA DE LOS MÚSCULOS

Aunque todos los músculos están formados por los mismos componentes y actúan de manera semejante, la forma de unos y otros es muy diversa, adaptada a su función concreta.

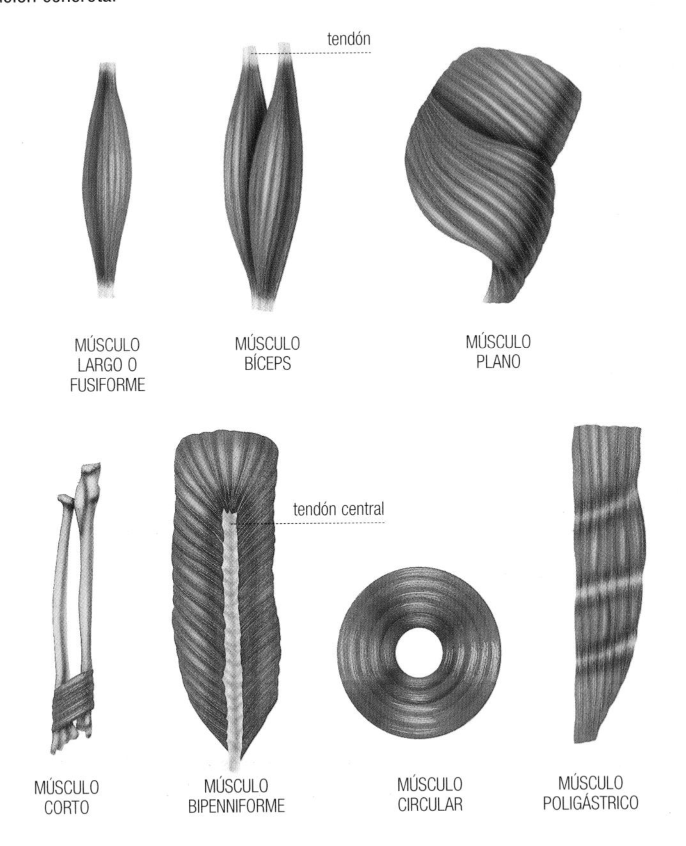

MÚSCULOS DEL CUERPO HUMANO

VISTA FRONTAL

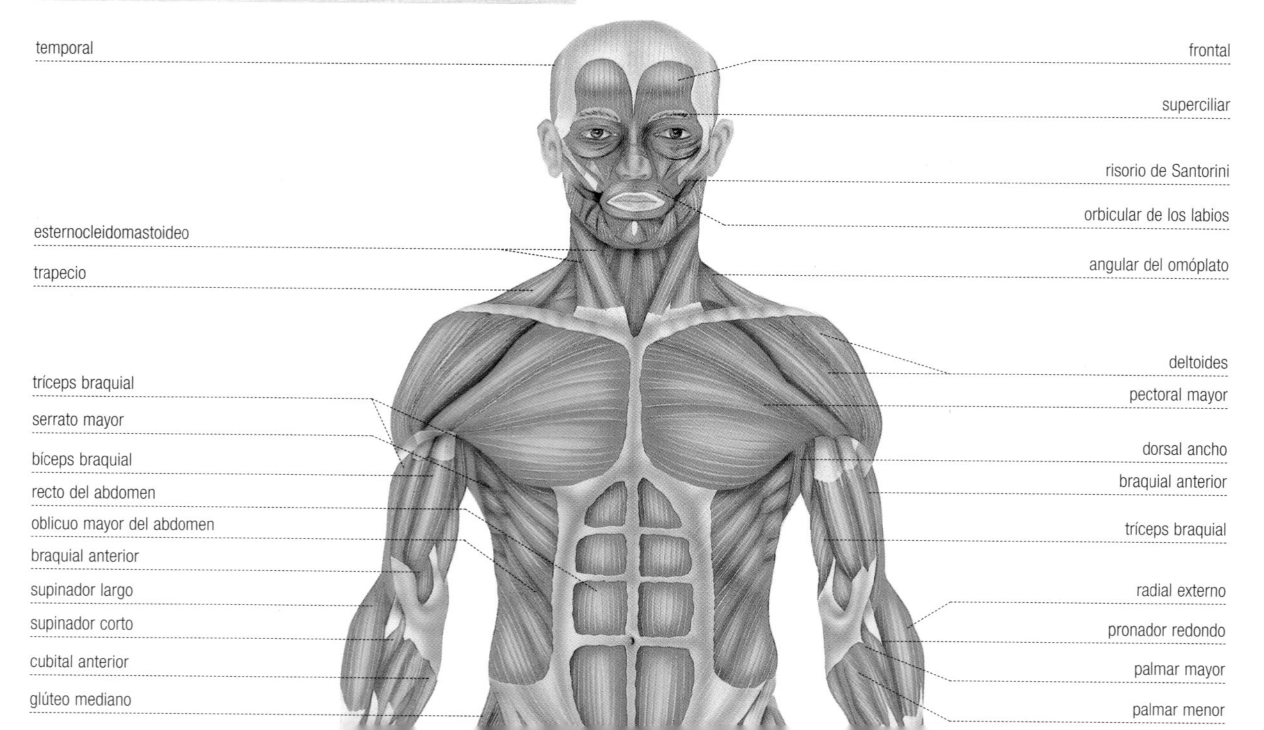

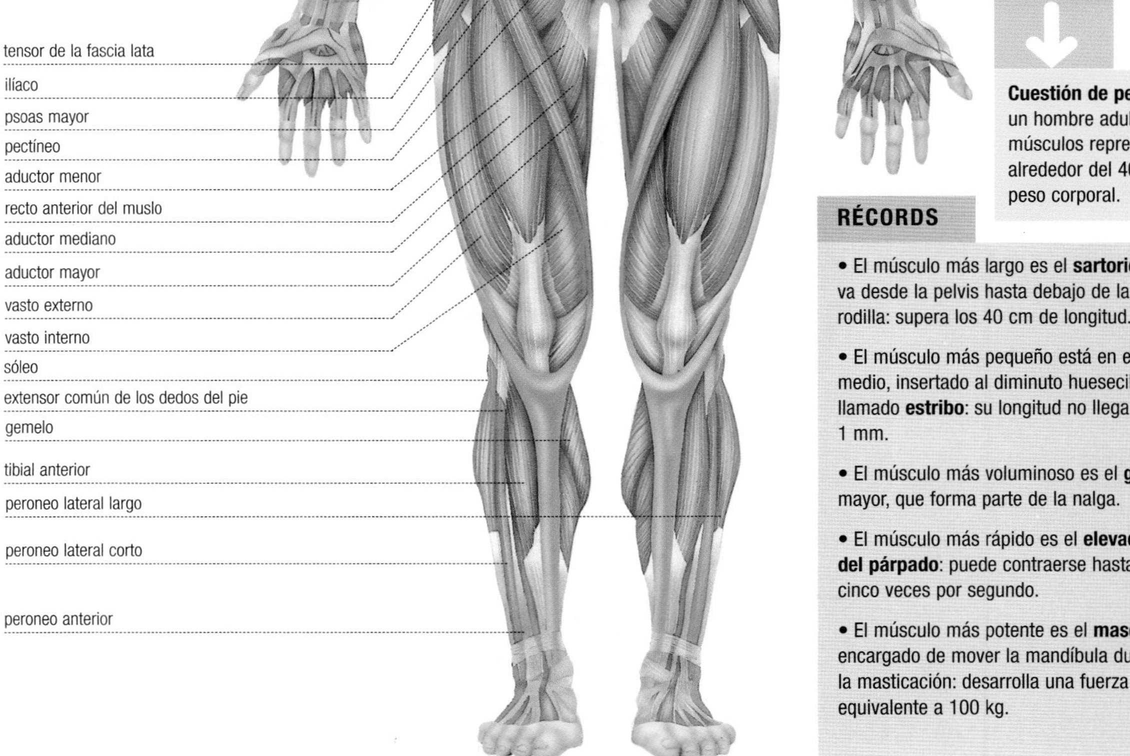

Cuestión de peso. En un hombre adulto, los músculos representan alrededor del 40 % del peso corporal.

RÉCORDS

- El músculo más largo es el **sartorio**, que va desde la pelvis hasta debajo de la rodilla: supera los 40 cm de longitud.
- El músculo más pequeño está en el oído medio, insertado al diminuto huesecillo llamado **estribo**: su longitud no llega a 1 mm.
- El músculo más voluminoso es el **glúteo** mayor, que forma parte de la nalga.
- El músculo más rápido es el **elevador del párpado**: puede contraerse hasta cinco veces por segundo.
- El músculo más potente es el **masetero**, encargado de mover la mandíbula durante la masticación: desarrolla una fuerza equivalente a 100 kg.

MÚSCULOS DEL CUERPO HUMANO

VISTA DORSAL

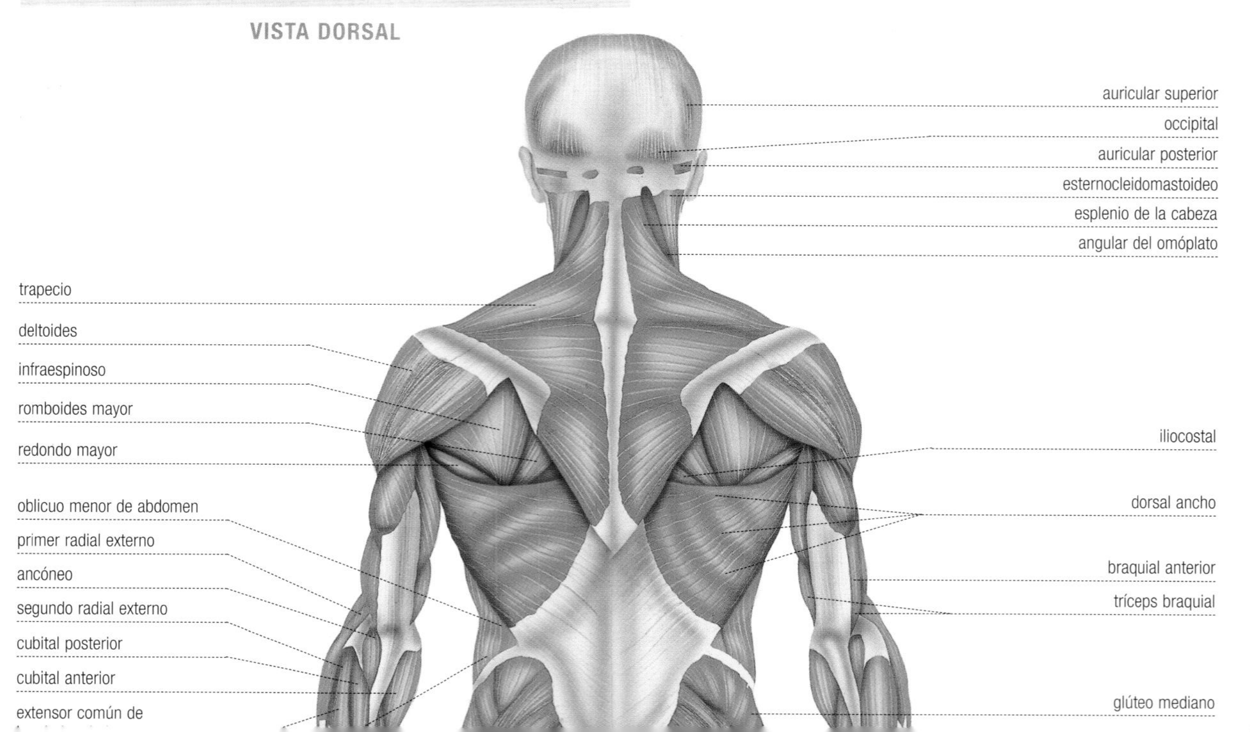

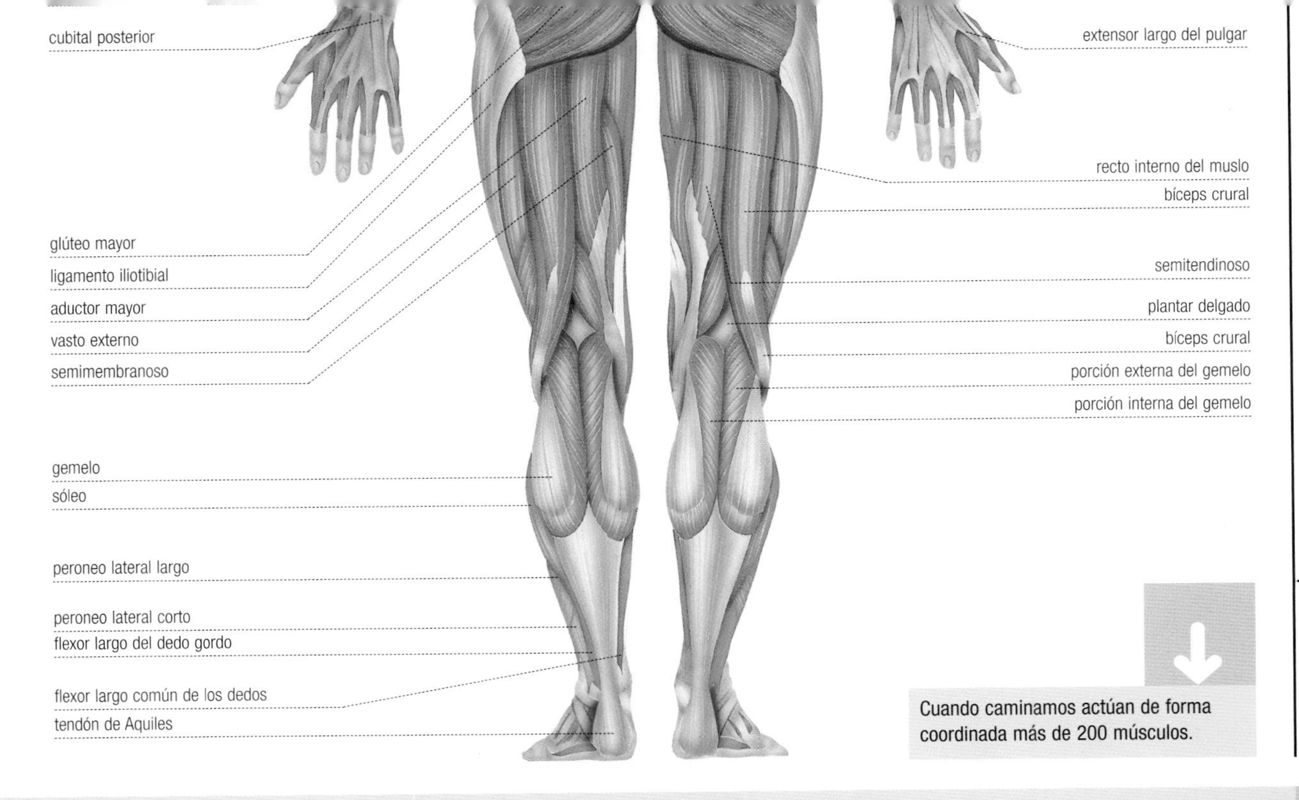

Cuando caminamos actúan de forma coordinada más de 200 músculos.

MÚSCULOS DE LA CABEZA

VISTA FRONTAL

En la cabeza hay numerosos músculos. Unos recubren el cráneo y tienen una movilidad limitada, mientras que otros, situados en la cara, son muy móviles y se diferencian en dos grupos:

- **músculos faciales** o **de la mímica**: nos permiten adoptar diferentes expresiones y expresar nuestros estados de ánimo;
- **músculos masticatorios**: son responsables de los movimientos del maxilar inferior.

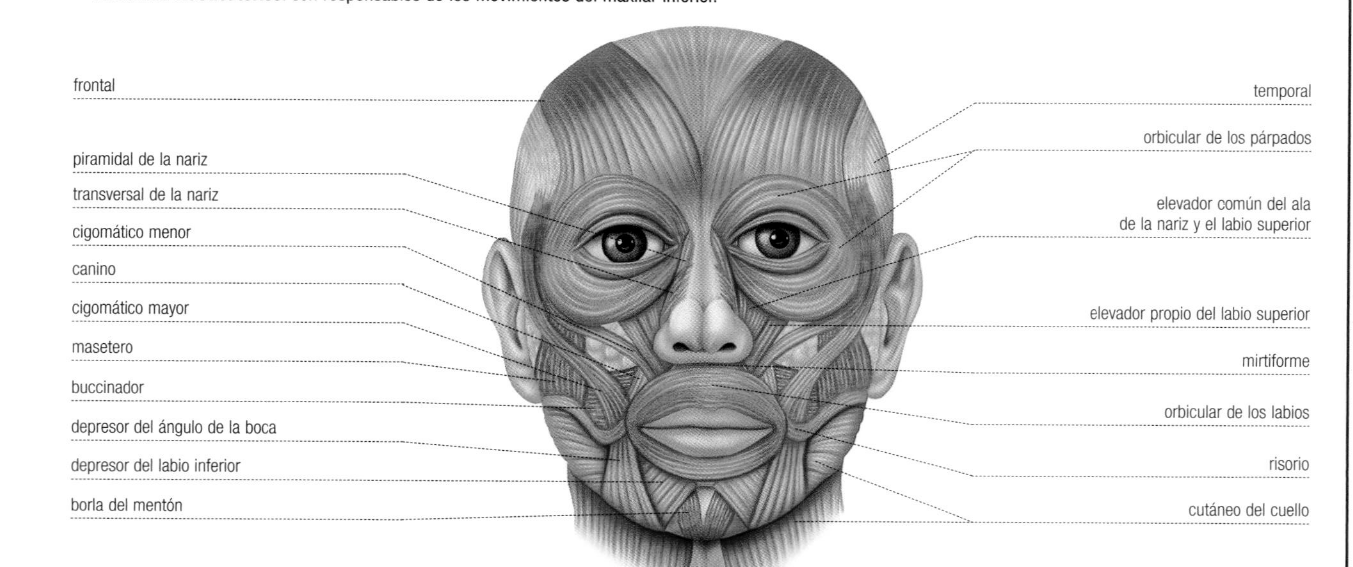

MÚSCULOS DE LA CABEZA

VISTA DE LADO

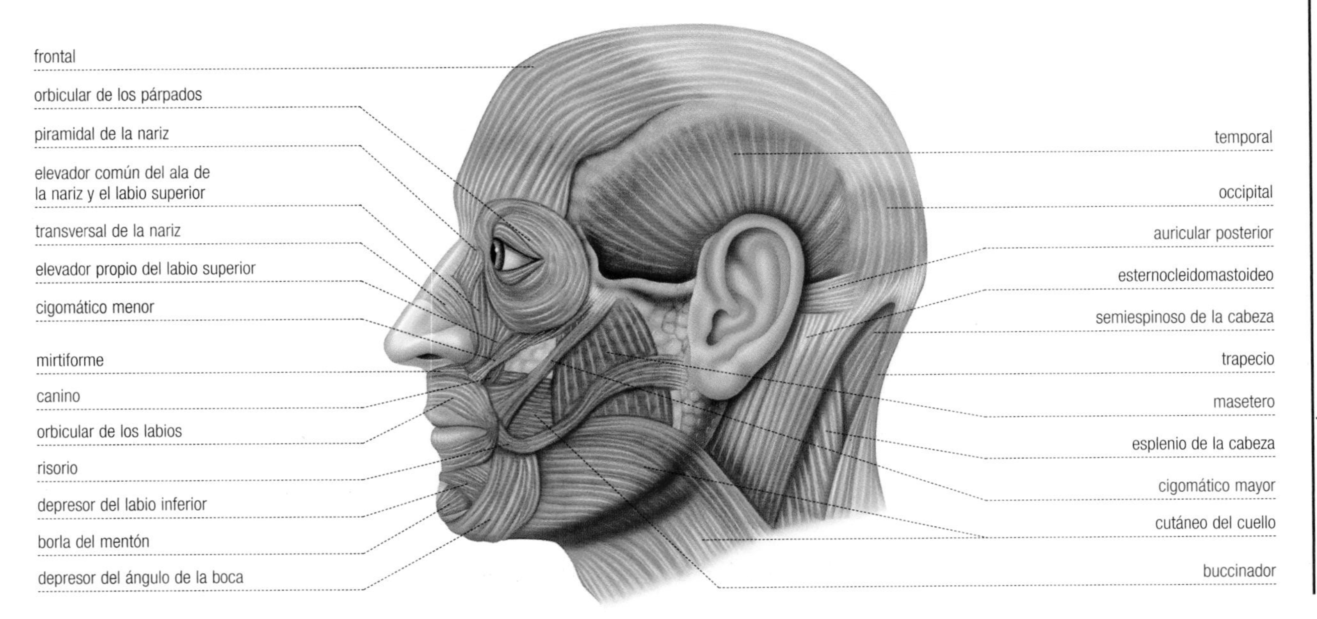

Las extremidades superiores cuentan con músculos **voluminosos** y **potentes**, como los deltoides, que nos permiten mover los brazos en todas direcciones, o los bíceps y los tríceps, responsables de la **flexión** y la

MÚSCULOS DE LA EXTREMIDAD SUPERIOR

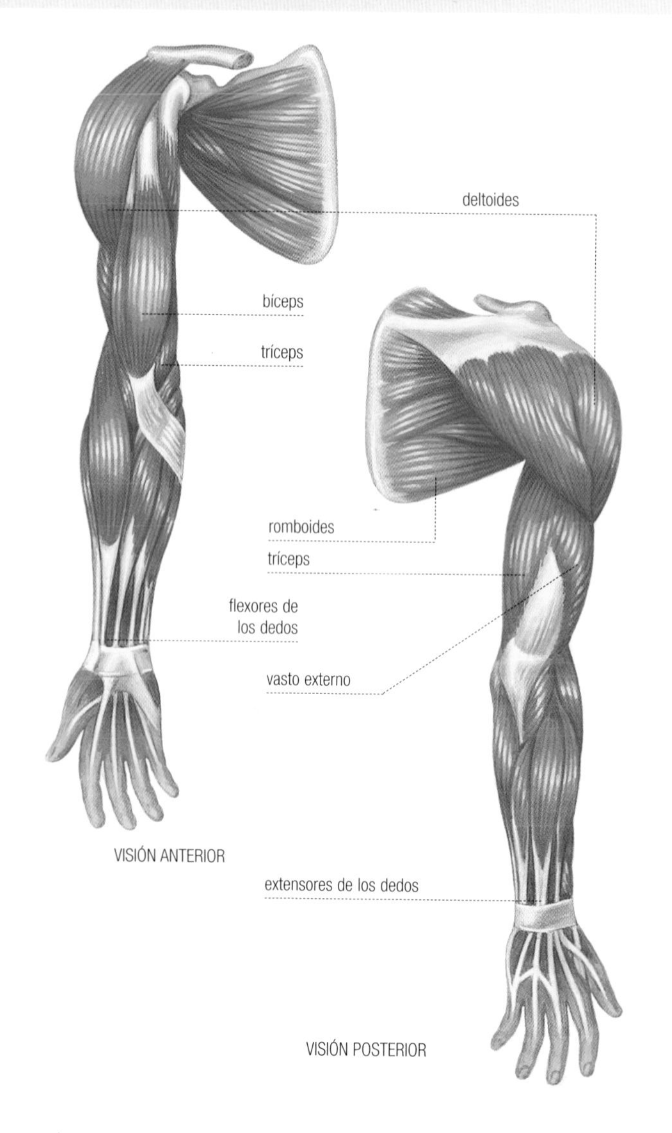

extensión del antebrazo, pero también disponen de músculos delgados y pequeños que nos permiten realizar movimientos precisos y sutiles con los dedos.

MÚSCULOS DE LA MANO

VISTA DESDE EL DORSO

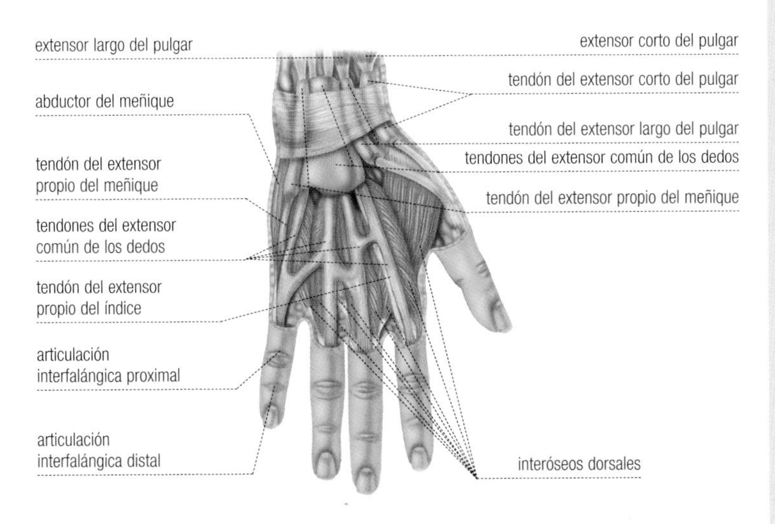

MÚSCULOS DE LA MANO

VISTA DESDE LA PALMA

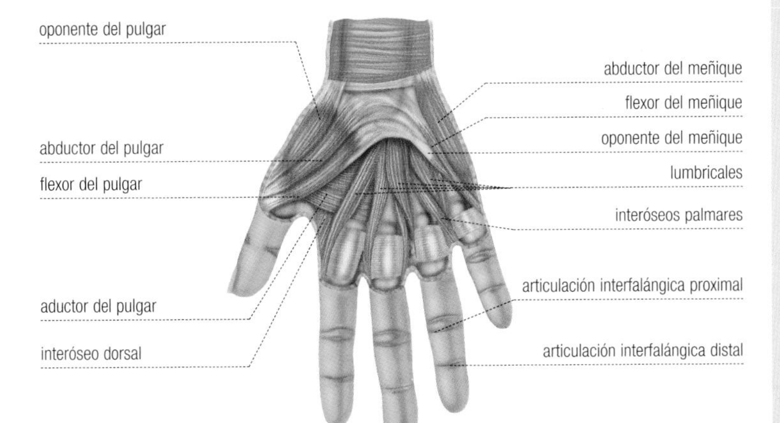

Los músculos de las extremidades inferiores son fundamentales para **la marcha** y para mantenernos en **posición erecta** sobre nuestros pies. Los más voluminosos son los glúteos, que constituyen la masa carnosa de las nalgas, y los que componen el cuádriceps crural (recto anterior, vasto

MÚSCULOS DE LA EXTREMIDAD INFERIOR

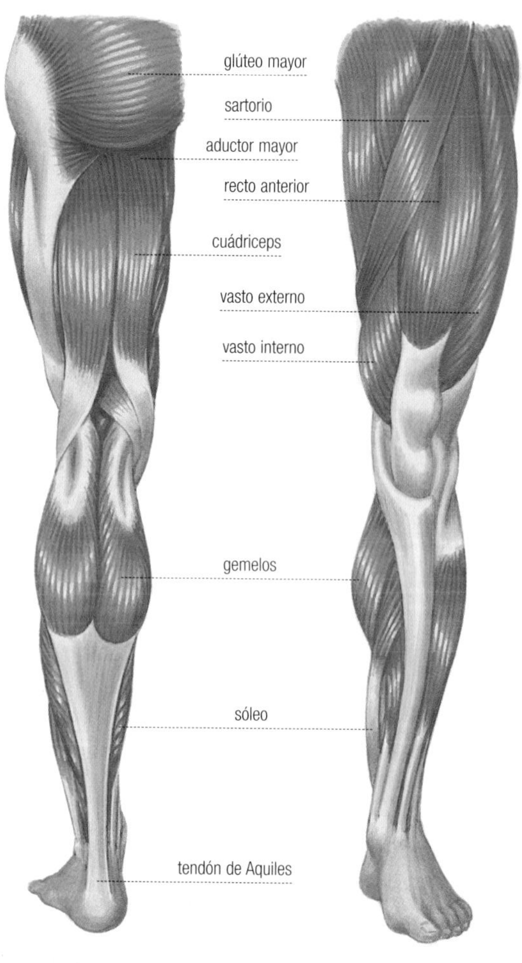

externo, vasto interno y crural), aunque en la parte posterior de las piernas destacan los gemelos. En los pies hay numerosos músculos que mueven los dedos y son muy activos cuando caminamos.

MÚSCULOS DEL PIE

VISTA DESDE EL DORSO

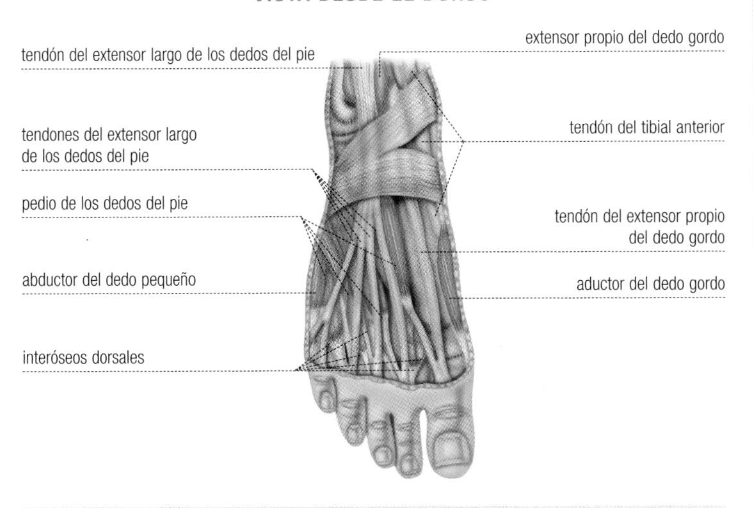

MÚSCULOS DEL PIE

VISTA DE LADO

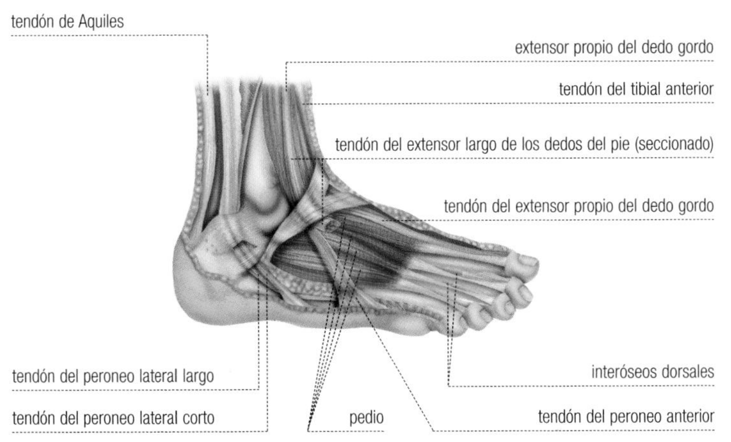

El aparato digestivo tiene un cometido de la máxima importancia: se encarga de **transformar los alimentos** que ingerimos cada día a fin de que el organismo pueda obtener de ellos la energía y los elementos nutritivos que necesita para formar y mantener sus tejidos así como también para asegurar el metabolismo y poder desarrollar las diversas funciones vitales.

PROCESO DIGESTIVO

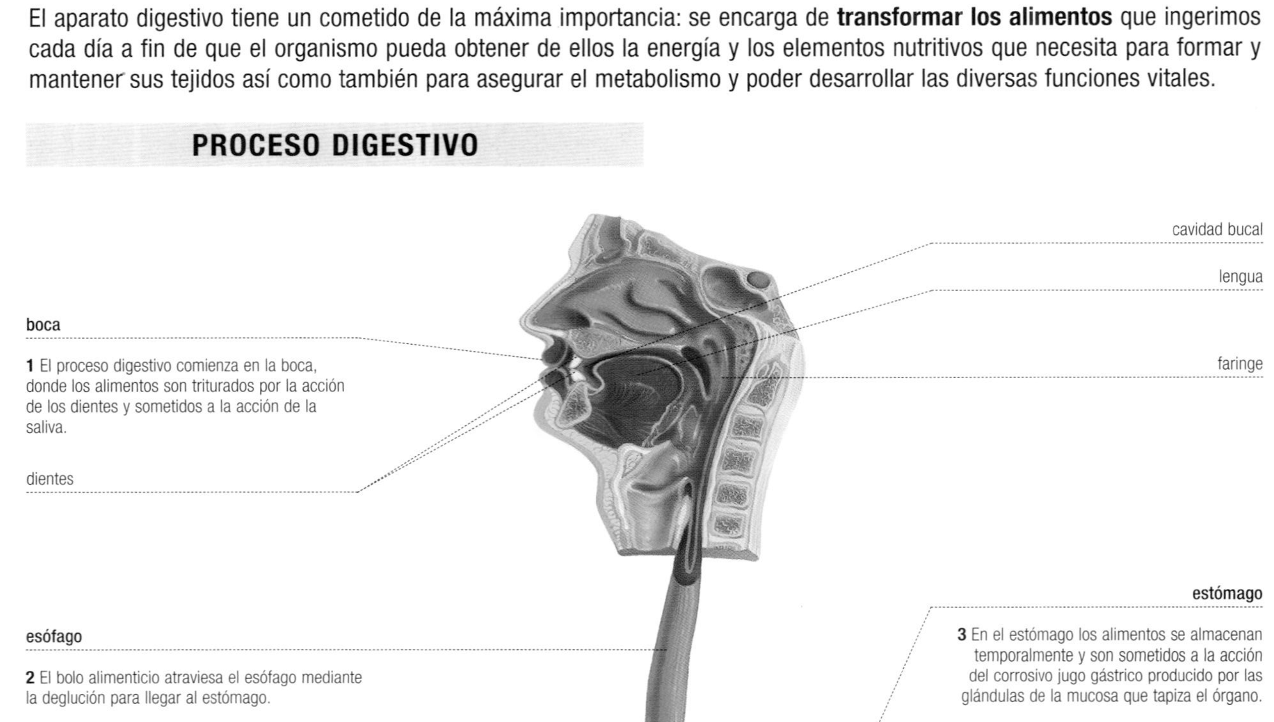

1 El proceso digestivo comienza en la boca, donde los alimentos son triturados por la acción de los dientes y sometidos a la acción de la saliva.

2 El bolo alimenticio atraviesa el esófago mediante la deglución para llegar al estómago.

3 En el estómago los alimentos se almacenan temporalmente y son sometidos a la acción del corrosivo jugo gástrico producido por las glándulas de la mucosa que tapiza el órgano.

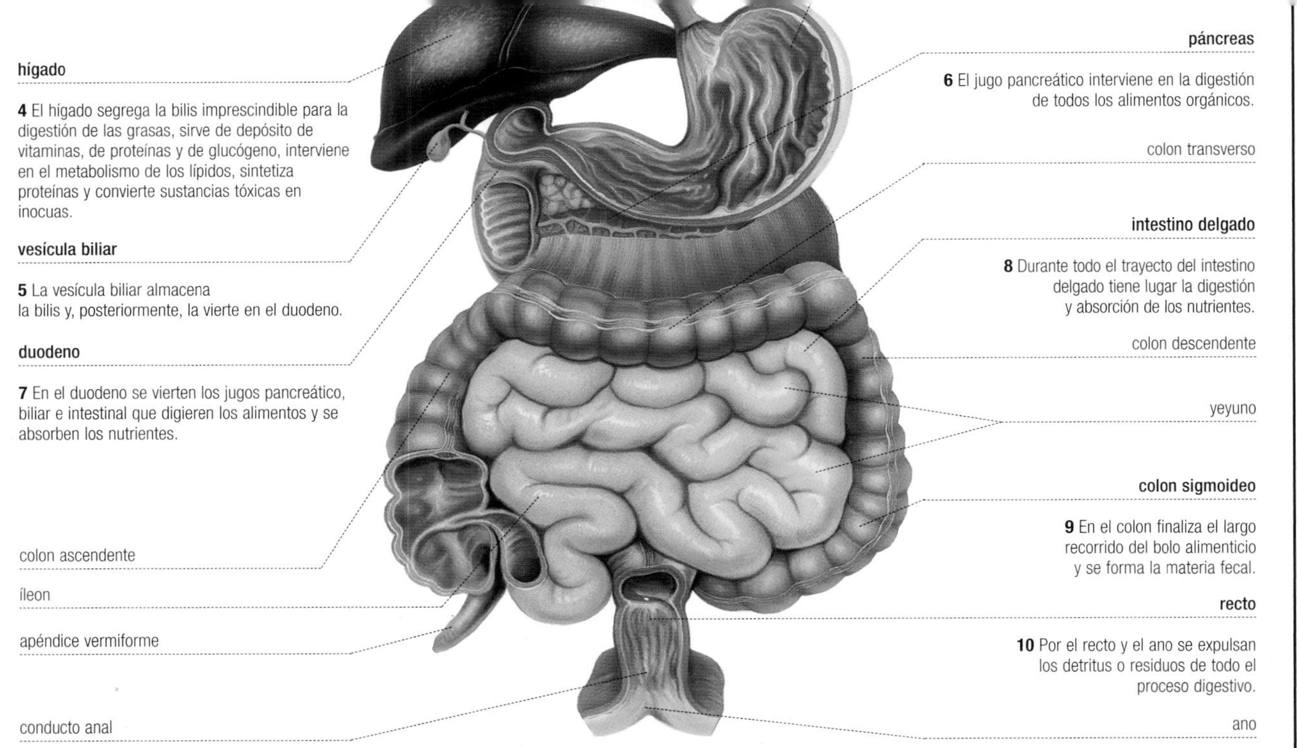

hígado

4 El hígado segrega la bilis imprescindible para la digestión de las grasas, sirve de depósito de vitaminas, de proteínas y de glucógeno, interviene en el metabolismo de los lípidos, sintetiza proteínas y convierte sustancias tóxicas en inocuas.

vesícula biliar

5 La vesícula biliar almacena la bilis y, posteriormente, la vierte en el duodeno.

duodeno

7 En el duodeno se vierten los jugos pancreático, biliar e intestinal que digieren los alimentos y se absorben los nutrientes.

colon ascendente

íleon

apéndice vermiforme

conducto anal

páncreas

6 El jugo pancreático interviene en la digestión de todos los alimentos orgánicos.

colon transverso

intestino delgado

8 Durante todo el trayecto del intestino delgado tiene lugar la digestión y absorción de los nutrientes.

colon descendente

yeyuno

colon sigmoideo

9 En el colon finaliza el largo recorrido del bolo alimenticio y se forma la materia fecal.

recto

10 Por el recto y el ano se expulsan los detritus o residuos de todo el proceso digestivo.

ano

CAVIDAD BUCAL

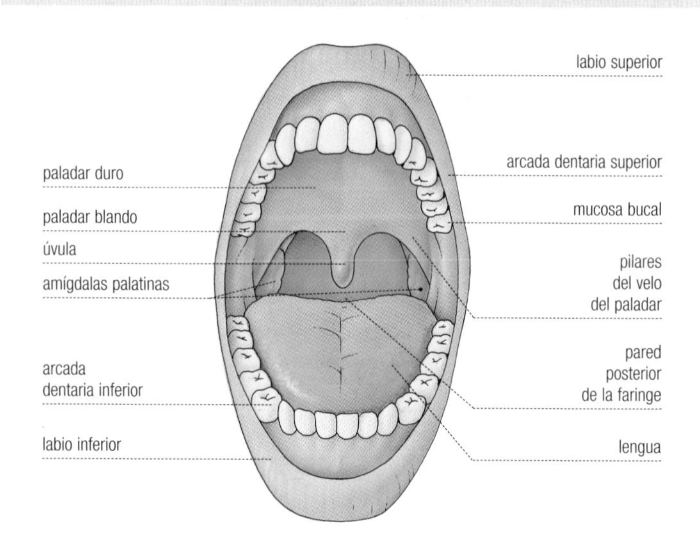

SECCIÓN DE UN DIENTE (MOLAR)

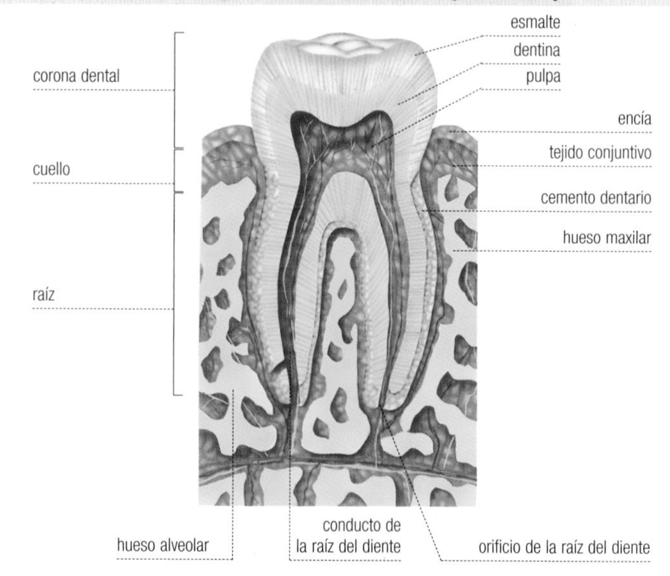

DIENTES DE LECHE

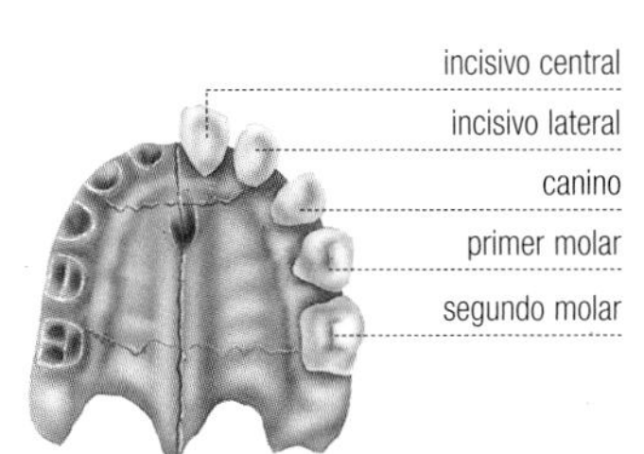

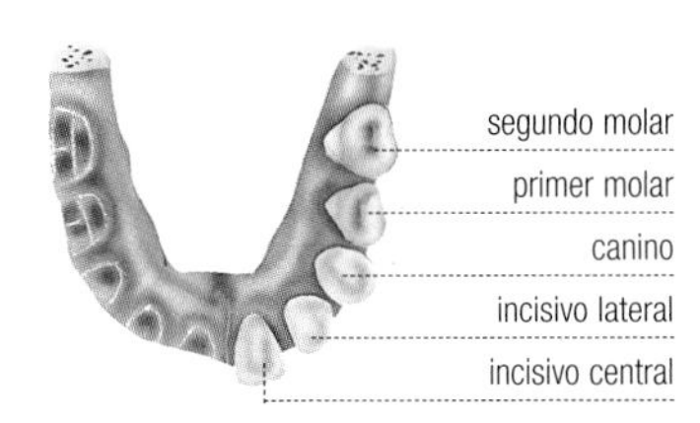

	EDAD DE ERUPCIÓN
incisivo central	6 - 8 meses
incisivo lateral	8 - 12 meses
canino	12 - 16 meses
primer molar	15 - 20 meses
segundo molar	24 - 40 meses
segundo molar	20 - 40 meses
primer molar	15 - 20 meses
canino	12 - 16 meses
incisivo lateral	8 - 12 meses
incisivo central	6 - 8 meses

DIENTES PERMANENTES

	EDAD DE ERUPCIÓN
incisivo central	6 - 9 años
incisivo lateral	7 - 10 años
canino	9 - 14 años
primer premolar	9 - 13 años
segundo premolar	11 - 14 años
primer molar	6 - 8 años
segundo molar	10 - 14 años
tercer molar	16 - 30 años
tercer molar	16 - 30 años
segundo molar	10 - 14 años
primer molar	6 - 8 años
segundo premolar	11 - 14 años
primer premolar	9 - 13 años
canino	9 - 14 años
incisivo lateral	7 - 10 años
incisivo central	6 - 8 años

EL ESÓFAGO

VISTA FRONTAL

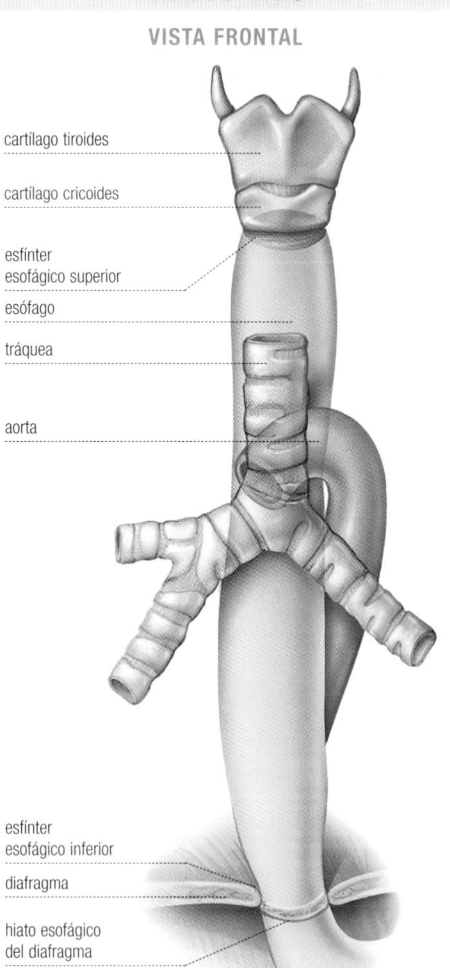

El esófago es un conducto de unos 25 cm de longitud dotado de unas paredes musculosas que tiene como función transportar la comida de la garganta hasta el estómago. Se inicia en la faringe, surca la cavidad torácica de arriba abajo, atraviesa el diafragma y, ya en la cavidad abdominal, desemboca en la cavidad gástrica.

LA DEGLUCIÓN

El acto de tragar es un mecanismo complejo. La primera parte es consciente y voluntaria: tras masticar la comida, la lengua impulsa el bolo alimenticio contra el paladar y lo impulsa hacia la faringe (1). A continuación se suceden varias acciones automáticas: las paredes de la faringe se contraen y propulsan el alimento hacia el esófago, mientras que el velo del paladar se eleva para que no pase a las fosas nasales (2) y la epiglotis, un cartílago que actúa a modo de válvula, tapona la laringe para que no entre en las vías aéreas (3). Ya en el esófago, una serie de contracciones musculares secuenciales de las paredes del órgano hacen que el alimento progrese hacia abajo (4 y 5) hasta que, finalmente, es arrojado al interior del estómago (6).

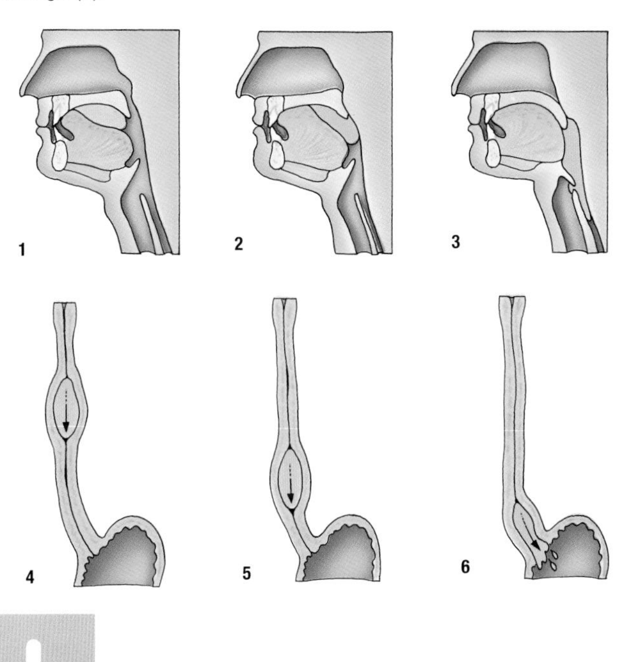

Aunque no comamos nada, el acto de la deglución se repite de manera incesante: tragamos saliva como media unas 70 veces por hora cuando estamos despiertos y alrededor de 10 veces por hora mientras dormimos.

SITUACIÓN DEL ESTÓMAGO

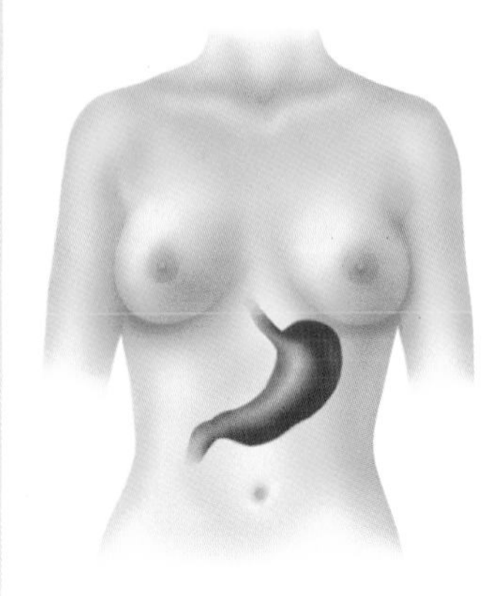

El estómago es un órgano hueco de paredes musculosas que cuenta con dos aberturas: la superior, denominada **cardias**, impide el reflujo del contenido gástrico al esófago, y la inferior, llamada **píloro**, actúa como una válvula que permanece cerrada hasta que el alimento está preparado para seguir su recorrido y entonces se abre para dejarlo pasar al duodeno.

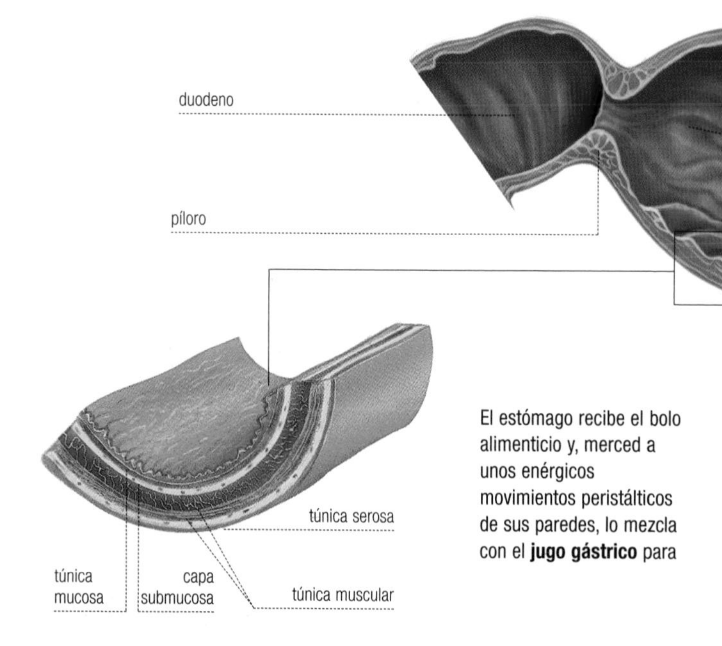

El estómago recibe el bolo alimenticio y, merced a unos enérgicos movimientos peristálticos de sus paredes, lo mezcla con el **jugo gástrico** para

SECCIÓN DEL ESTÓMAGO

VISTA FRONTAL

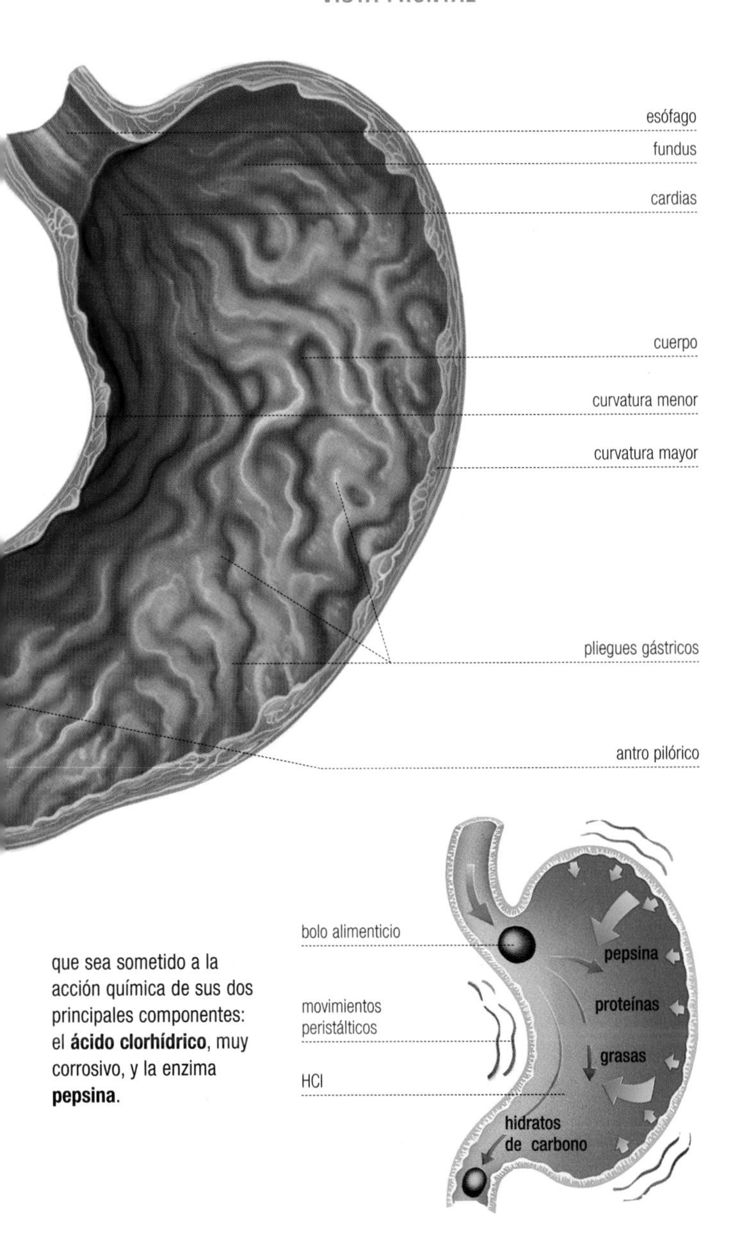

que sea sometido a la acción química de sus dos principales componentes: el **ácido clorhídrico**, muy corrosivo, y la enzima **pepsina**.

INTESTINO DELGADO

El intestino delgado es la sede de los principales pasos del proceso digestivo: en su interior los alimentos son sometidos a la acción de enzimas procedentes del hígado, del páncreas y de la propia mucosa intestinal que los degradan y descomponen en elementos básicos. Es un conducto de 7-8 m de longitud en el cual, aunque es continuo, se diferencian tres porciones:

- el **duodeno**, segmento situado a la salida del estómago, de unos 25-30 cm de longitud, en el que abocan las secreciones del páncreas y la bilis elaborada por el hígado;
- el **yeyuno**, situado en la región superior de la cavidad abdominal, tiene unos 3 m de longitud;
- el **íleon**, situado en la región inferior de la cavidad abdominal, de 3 o 4 m de longitud, que desemboca en el intestino grueso.

EL INTESTINO DELGADO VISTO DE FRENTE, ENMARCADO POR EL INTESTINO GRUESO

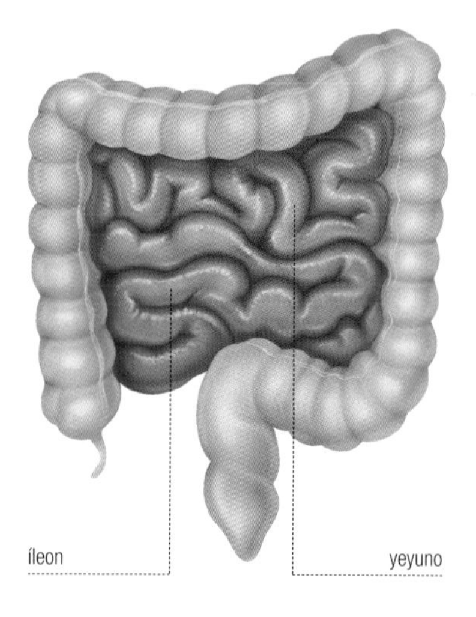

SITUACIÓN DEL INTESTINO DELGADO

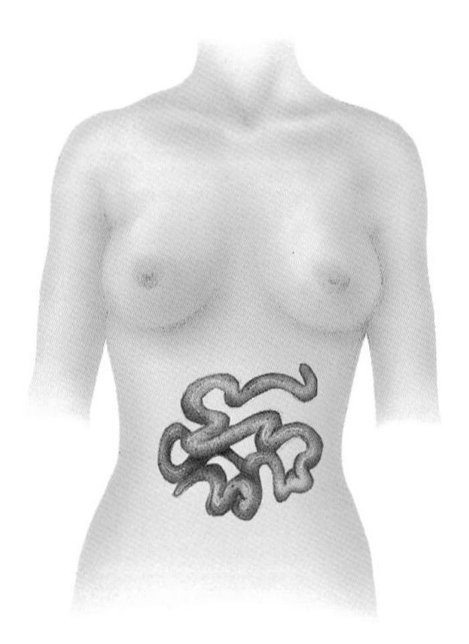

DUODENO

VISTA FRONTAL

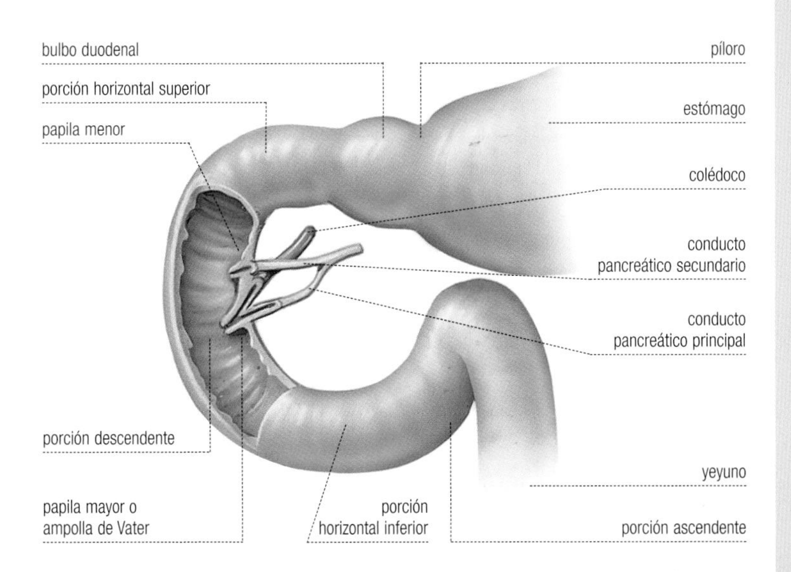

MOVIMIENTOS INTESTINALES

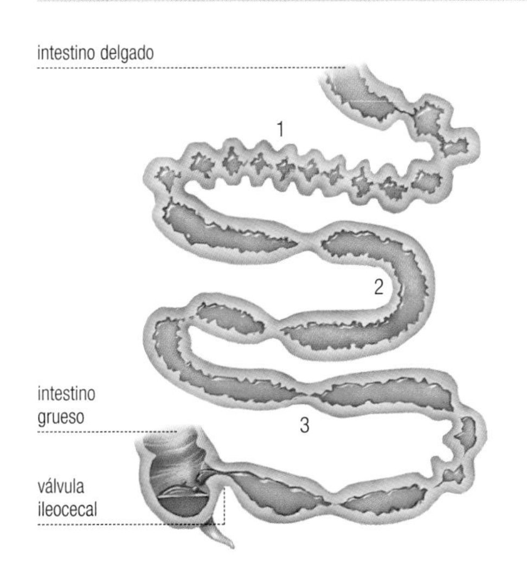

Las paredes del intestino delgado se contraen de manera automática con distintas finalidades: movimientos rímticos segmentarios que sirven para apelmazar y triturar el alimento (1), contracciones de cada par de asas en sentido opuesto para mezclarlo bien (2) y movimentos peristálticos secuenciales que lo propulsan en dirección al intestino grueso (3).

El páncreas es una **glándula** anexa al tubo digestivo, puesto que fabrica un jugo rico en enzimas destinadas para la degradación de los alimentos, aunque también forma parte del sistema endocrino porque produce hormonas tan importantes como la insulina. Es un órgano alargado y de forma

PÁNCREAS, PARCIALMENTE SECCIONADO Y ENMARCADO POR EL DUODENO

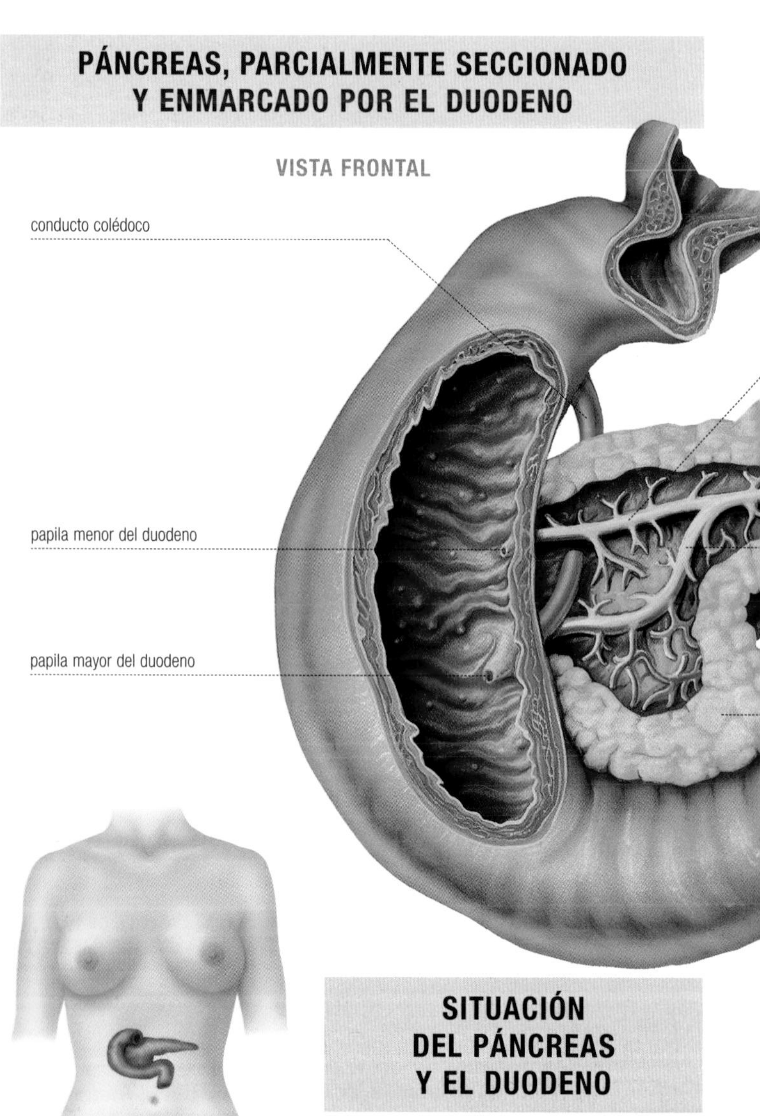

SITUACIÓN DEL PÁNCREAS Y EL DUODENO

cónica que está situado transversalmente en la parte superior del abdomen: la parte más voluminosa, la cabeza, está enmarcada por el duodeno, dentro del cual arroja sus secreciones digestivas.

conducto pancreático accesorio o conducto de Santorini

recoge las secreciones de la parte superior del páncreas y las vierte al duodeno por la papila menor

cuerpo del páncreas

cola del páncreas

conducto pancreático principal o conducto de Wirsung

recoge las secreciones de la mayor parte del páncreas y las vierte al duodeno por la papila mayor, junto a la bilis transportada por el conducto colédoco

cabeza del páncreas

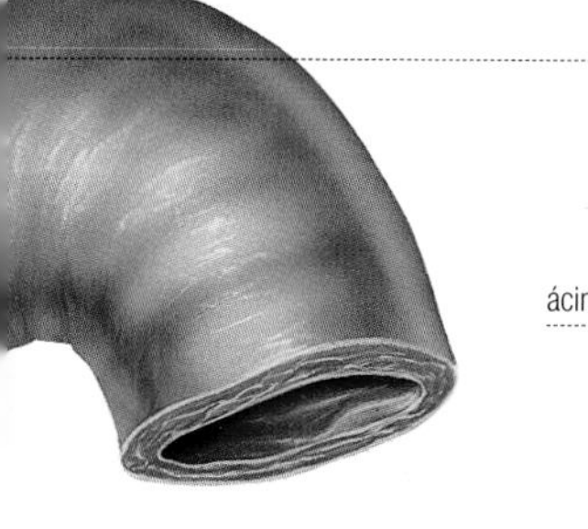

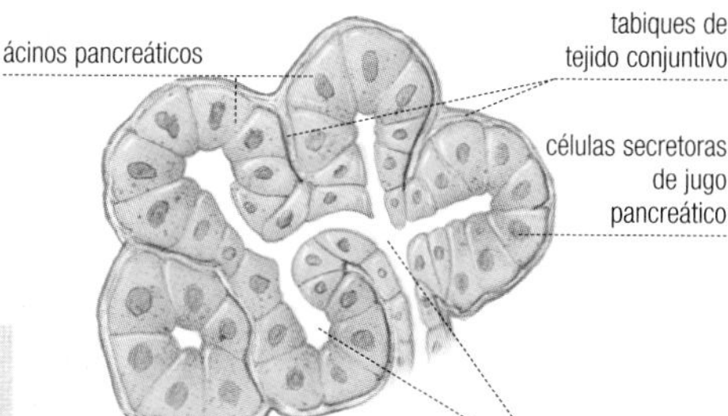

ÁCINOS PANCREÁTICOS

HÍGADO

El hígado es una **glándula** anexa al tubo digestivo, puesto que, además de desempeñar otras muchas funciones esenciales para el metabolismo, fabrica la bilis, una secreción necesaria para la digestión de las grasas que se almacena en la vesícula para concentrarse y es vertida al interior del intestino delgado a través de las vías biliares después de cada comida.

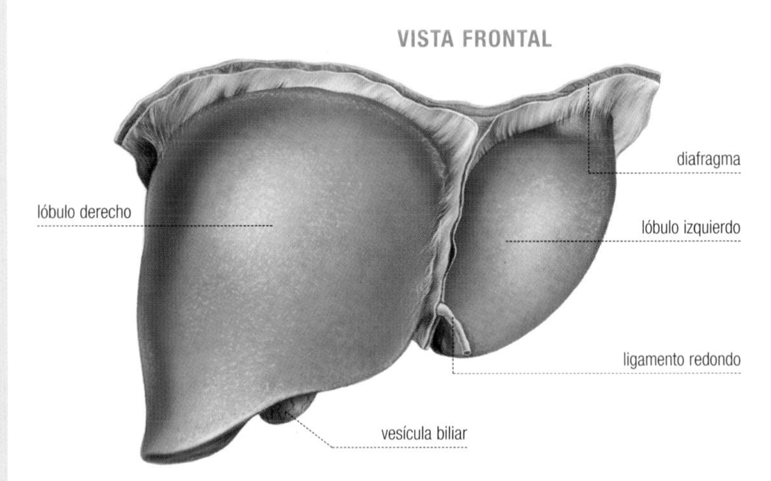

SITUACIÓN DEL HÍGADO

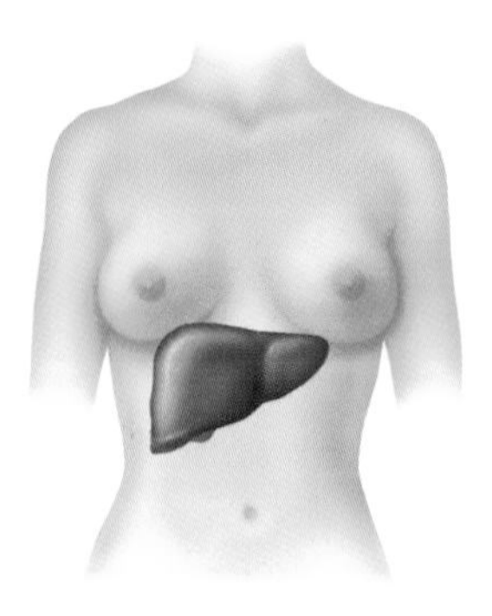

HÍGADO

VISTO DESDE ABAJO

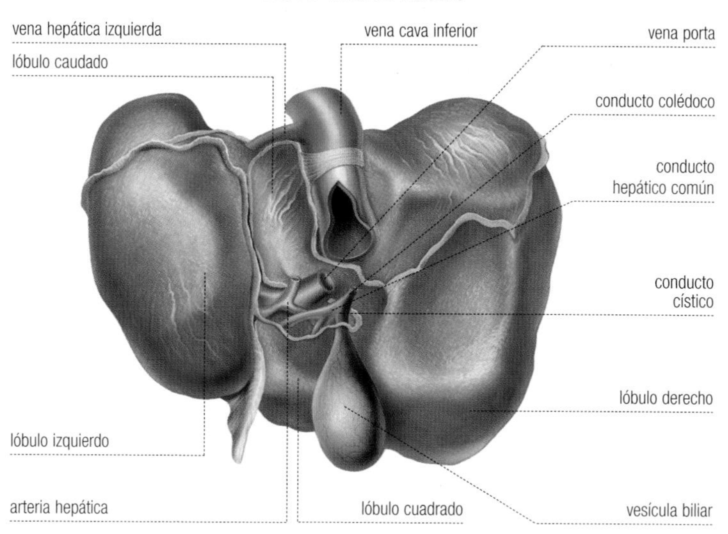

VESÍCULA Y VÍAS BILIARES

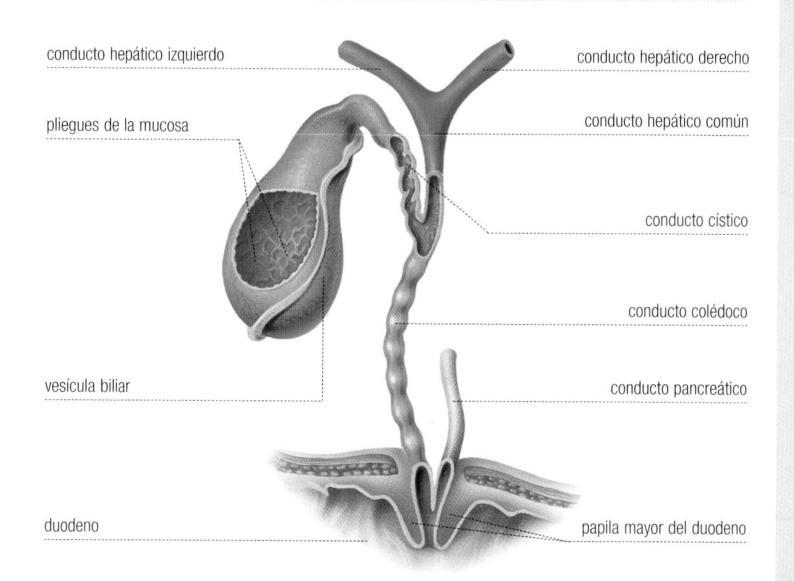

INTESTINO GRUESO

El intestino grueso es la **parte final** del tubo digestivo, donde se almacenan temporalmente los residuos de la digestión mientras se preparan los **desechos** que, finalmente, son eliminados al exterior. Es un conducto de 1,5-1,8 m de longitud en el cual, aunque es continuo, se diferencian tres porciones:

- el **ciego**, situado en la parte inferior derecha del abdomen, donde desemboca el intestino delgado;
- el **colon**, la parte más larga, dispuesto a modo de marco en el interior de la cavidad abdominal y dividido en cuatro sectores: ascendente, transverso, descendente y sigmoide;
- el **recto**, que desemboca en el ano.

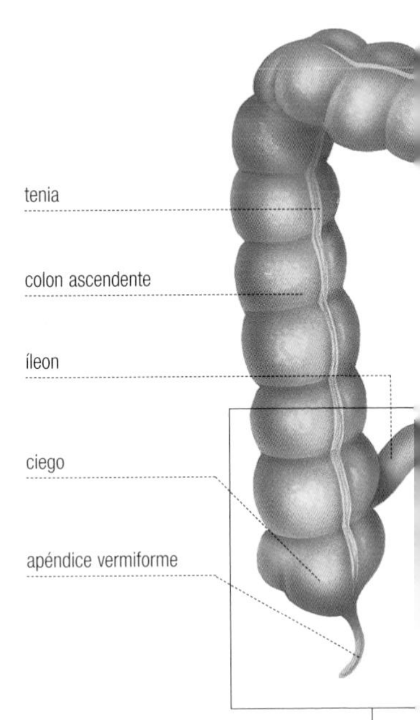

SECCIÓN DEL CIEGO

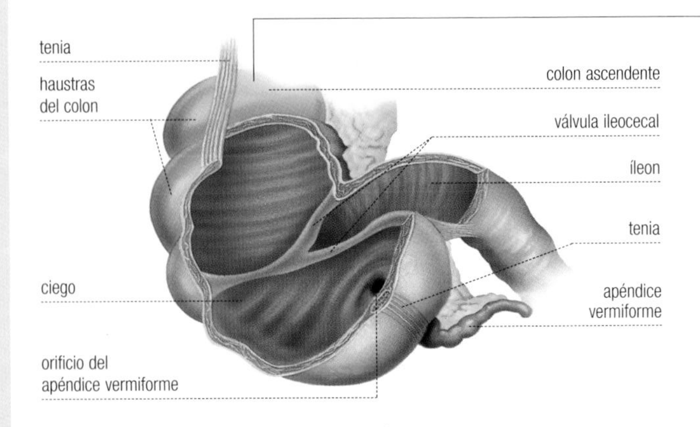

SITUACIÓN DEL INTESTINO GRUESO

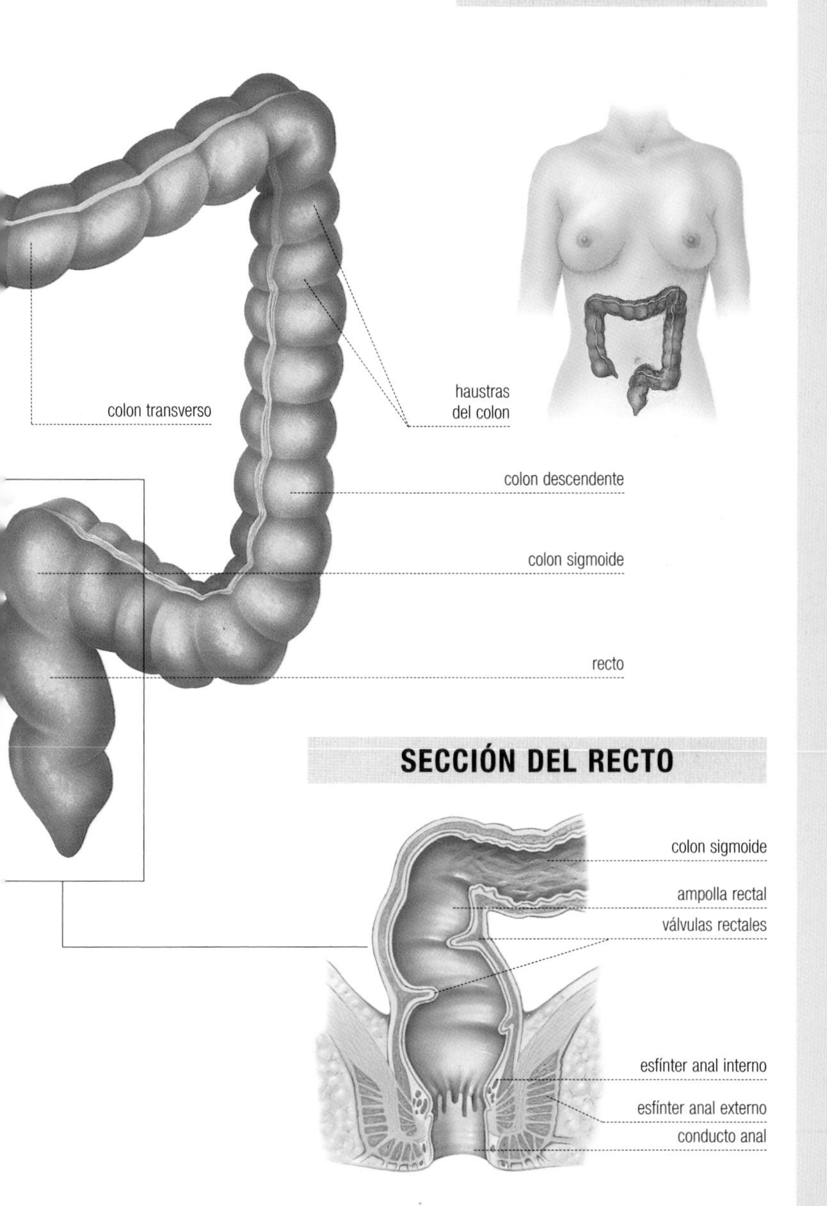

SECCIÓN DEL RECTO

El aparato respiratorio es responsable de mantener un constante **intercambio de gases** entre el organismo y el aire atmosférico, función vital que nos permite **incorporar el oxígeno** utilizado por las células de todos los tejidos como combustible para la producción de energía y, a la par, **eliminar el dióxido de carbono** que se genera como residuo de este proceso y cuya acumulación en el cuerpo resulta tóxica.

ÓRGANOS DEL APARATO RESPIRATORIO

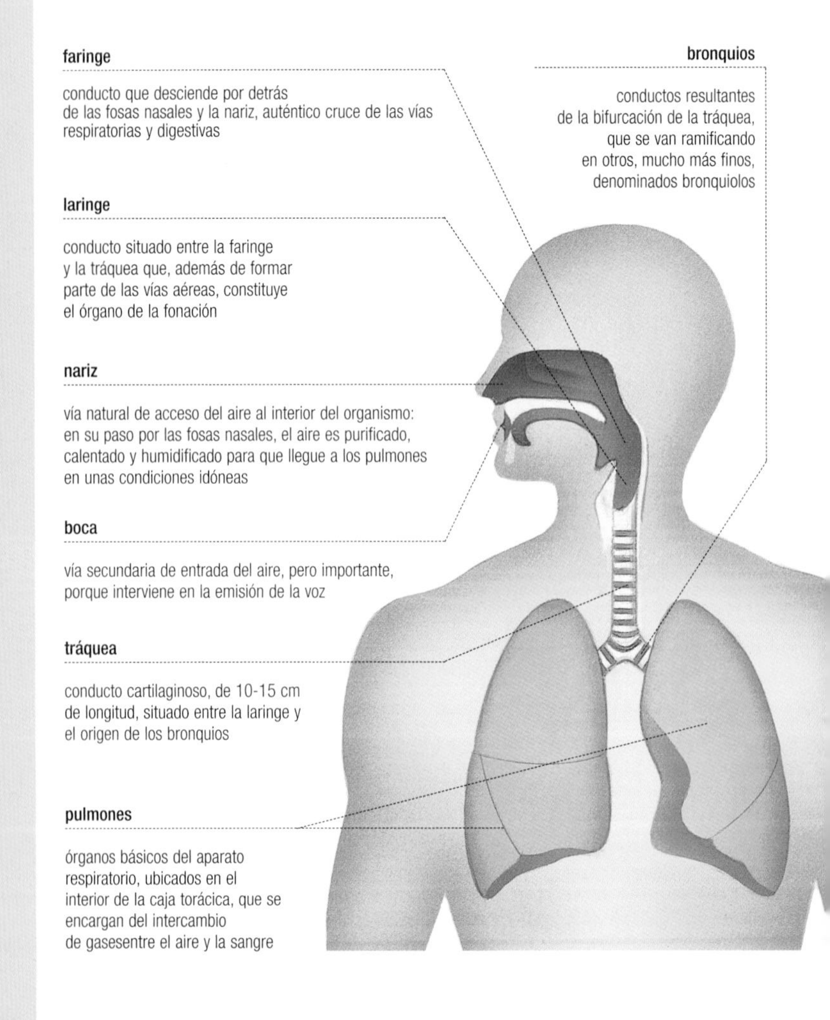

MECANISMO DE LA RESPIRACIÓN

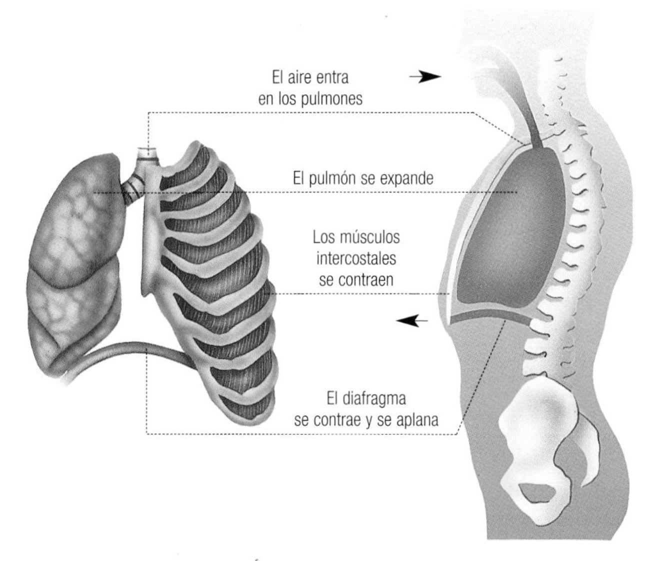

INSPIRACIÓN

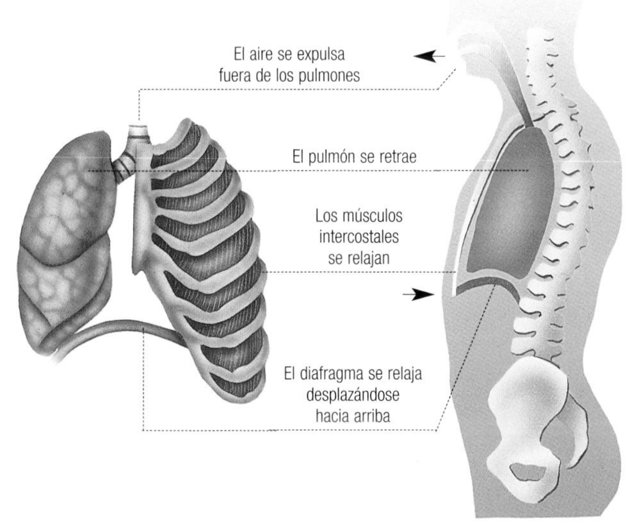

ESPIRACIÓN

HUESOS Y CARTÍLAGOS DE LA PIRÁMIDE NASAL

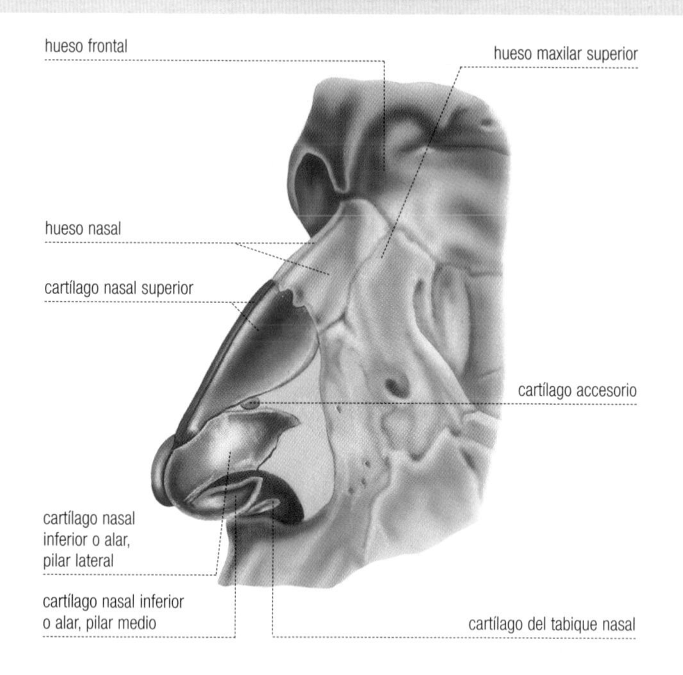

SENOS PARANASALES

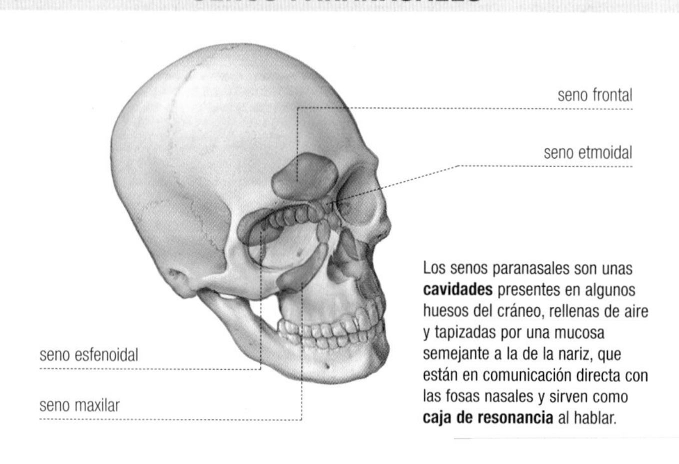

Los senos paranasales son unas **cavidades** presentes en algunos huesos del cráneo, rellenas de aire y tapizadas por una mucosa semejante a la de la nariz, que están en comunicación directa con las fosas nasales y sirven como **caja de resonancia** al hablar.

La faringe es un **conducto** que nace en el fondo de las fosas nasales y desciende por detrás de la boca hasta la laringe y el esófago: constituye, pues, una **vía común para la entrada de aire y de alimentos**, por lo que forma parte tanto del aparato respiratorio como del digestivo. En el punto de unión de la faringe y la laringe hay un cartílago con forma de lengüeta, denominado **epiglotis**, que en el acto de la deglución se inclina hacia atrás y obtura la entrada de las vías aéreas.

SECCIÓN LATERAL DE LA FARINGE

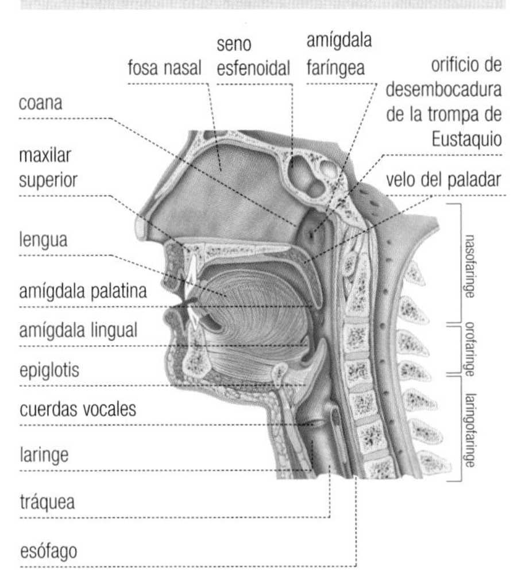

FARINGE

VISTA DESDE ATRÁS

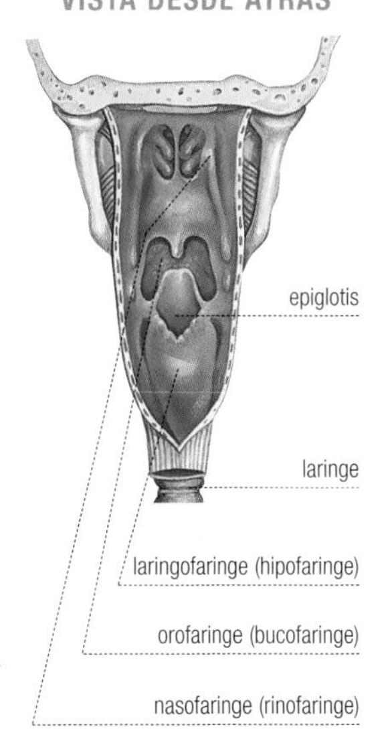

SECCIÓN DE LA FOSA NASAL

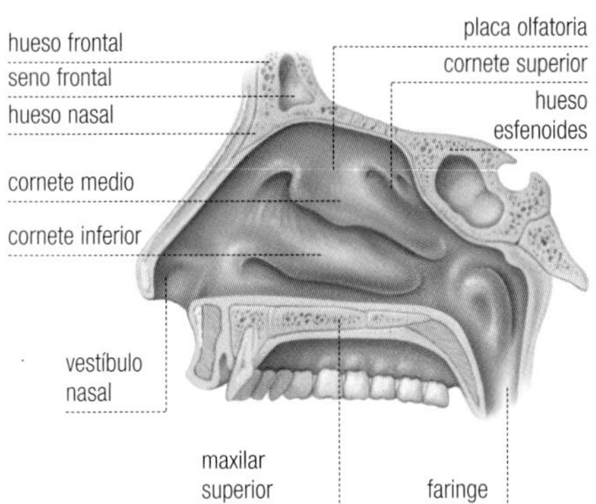

La nariz, la **vía natural de entrada de aire** hacia los pulmones, está situada en el centro de la cara y constituye una protuberancia con forma de pirámide en cuya base están los **orificios nasales**. En su interior contiene dos amplias cavidades separadas por un tabique, las **fosas nasales**.

La laringe es un **conducto** formado por varios **cartílagos articulados** entre sí que comunica la faringe con la tráquea y, por tanto, constituye un paso obligado del aire en su recorrido desde el exterior a los pulmones durante la inspiración y en dirección inversa durante la espiración. Además, es el **órgano de la fonación**, puesto que en su interior se encuentran las **cuerdas vocales**.

LARINGE Y TRÁQUEA

VISIÓN FRONTAL

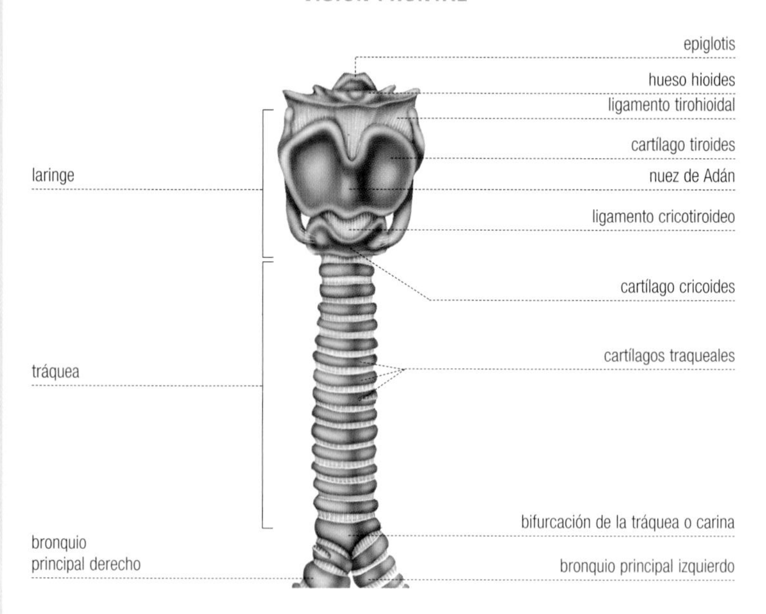

SECCIÓN TRANSVERSAL DE LA TRÁQUEA

cubierta de tejido conectivo

cartílago

epitelio

músculo traqueal

luz de la tráquea

pared anterior

glándulas mucosas

pared posterior

músculo esofágico

La tráquea es un **conducto** que se inicia a continuación de la laringe, atraviesa el cuello y, ya en el tórax, se bifurca para dar origen a los dos bronquios principales, cuyas ramificaciones llevan el aire a los pulmones. Está formada por unos quince a veinte **cartílagos** con forma de herradura abiertos por la parte posterior pero que casi cierran completamente la circunferencia del conducto; la parte posterior que no cubren dichos cartílagos es membranosa y está constituida por tejido conjuntivo y muscular.

SECCIÓN FRONTAL DE LA LARINGE

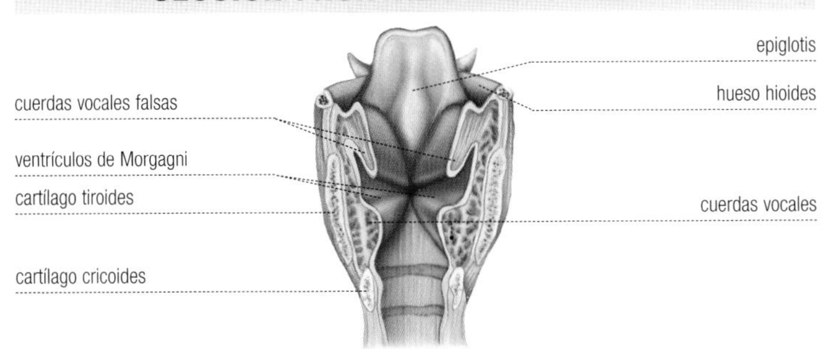

LARINGE Y TRÁQUEA

VISIÓN DORSAL

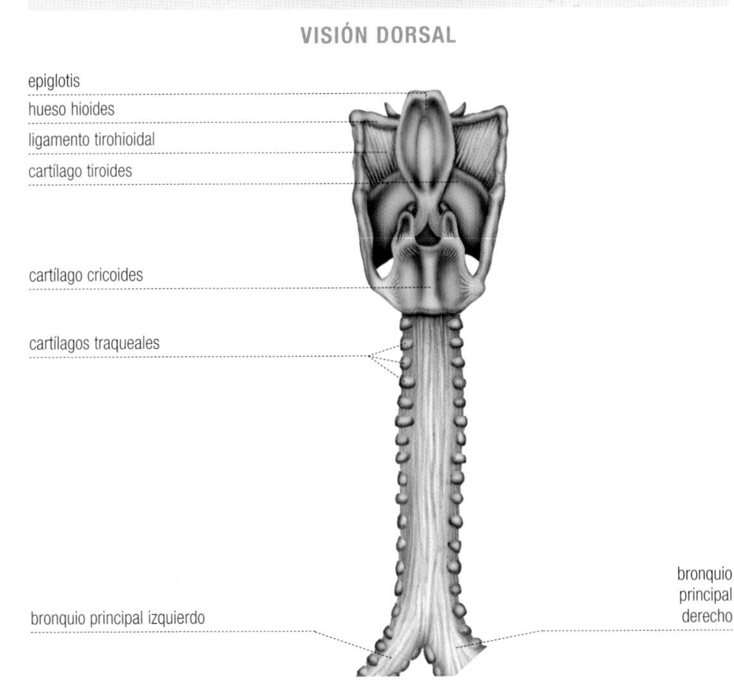

ÁRBOL BRONQUIAL

CON SUS SEGMENTOS DIFERENCIADOS POR COLORES

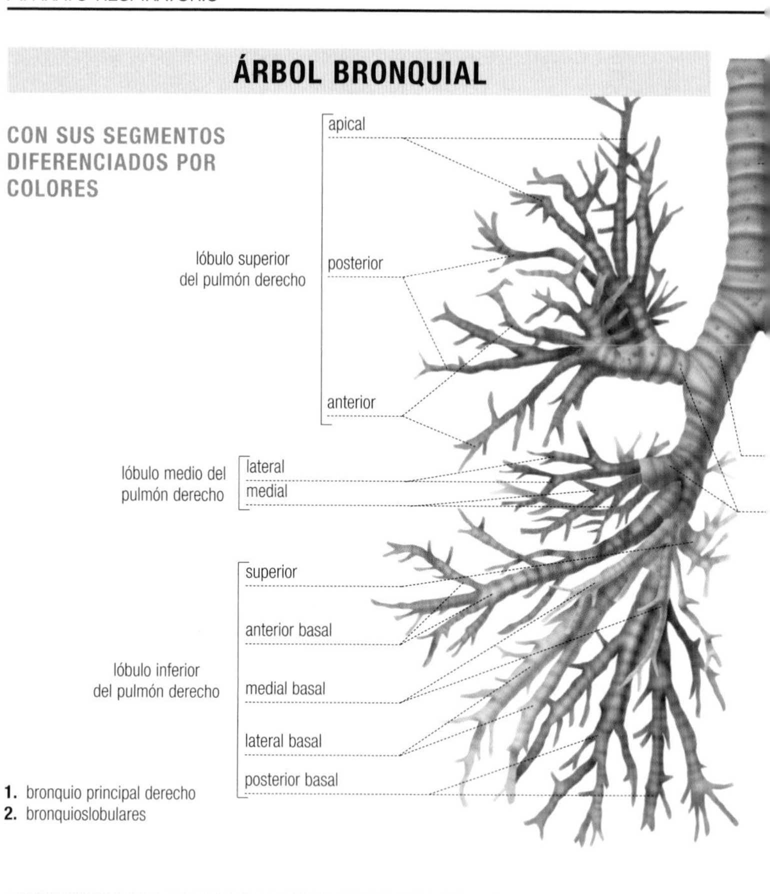

1. bronquio principal derecho
2. bronquioslobulares

SITUACIÓN DEL ÁRBOL BRONQUIAL

EN LA SUPERFICIE DE LOS PULMONES

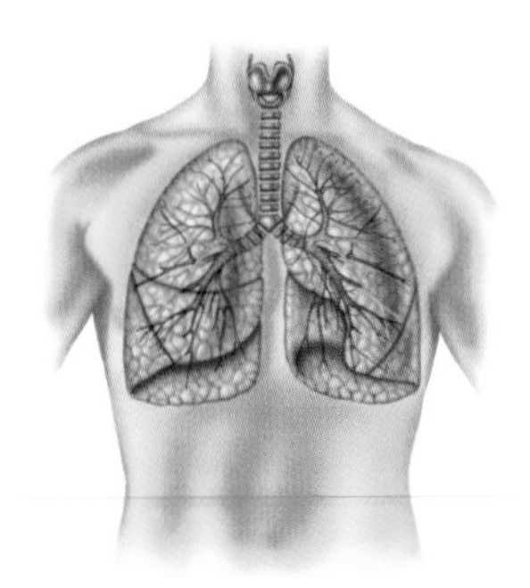

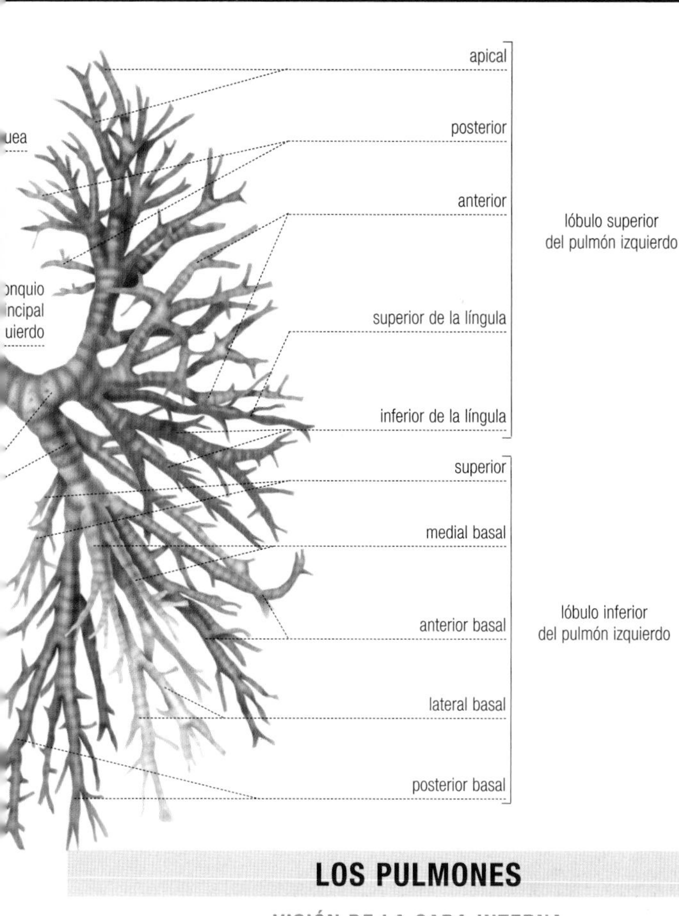

LOS PULMONES

VISIÓN DE LA CARA INTERNA

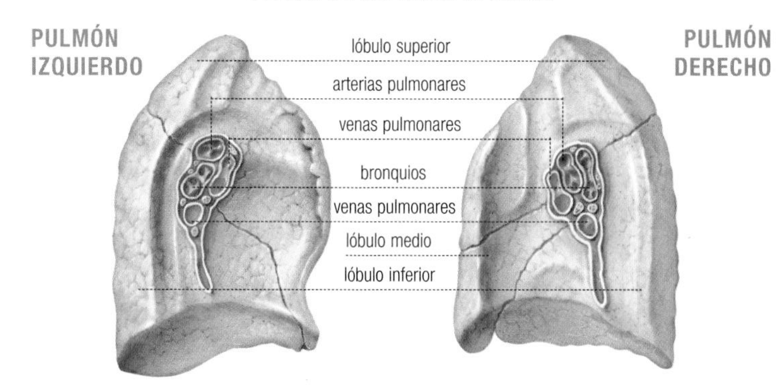

El aparato circulatorio está formado por una intrincada **red de vasos** que, bajo los impulsos rítmicos del corazón, transportan incesantemente por el organismo **la sangre** que lleva a todos los tejidos aquellos elementos que necesitan para mantener su actividad vital y recoge los residuos del metabolismo celular para hacerlos llegar a los órganos encargados de su depuración.

ESQUEMA DEL APARATO CIRCULATORIO

1. **vena cava superior**
   conduce al corazón la sangre pobre en oxígeno procedente de las venas de la parte superior del cuerpo

2. **arteria pulmonar**
   recibe la sangre pobre en oxígeno bombeada por el corazón y la lleva a los pulmones

3. **vena cava inferior**
   conduce al corazón la sangre pobre en oxígeno procedente de las venas de la parte inferior del cuerpo

4. **venas**
   conducen la sangre pobre en oxígeno hacia las venas cavas, en dirección al corazón

5. **capilares**
   son los vasos más delgados, a través de cuyas sutiles paredes se producen los intercambios entre la sangre y los tejidos

6. **arteria aorta**
   es la principal arteria del organismo: recibe la sangre rica en oxígeno bombeada por el corazón y la distribuye por sus ramificaciones para que llegue a todos los sectores del cuerpo

7. **venas pulmonares**
   conducen al corazón la sangre que se ha oxigenado en los pulmones

8. **corazón**
   es el motor central del sistema circulatorio: con sus latidos, impulsa intermitentemente a las arterias la sangre que, tras recorrer todo el organismo, retorna al órgano por las venas

9. **arterias**
   llevan la sangre oxigenada procedente del corazón a los diversos tejidos

ÁRBOL VASCULAR

El corazón bombea la sangre rica en oxígeno a la aorta, una gran **arteria** con numerosas ramas que, como las que forman la copa de un árbol, se subdividen repetidas veces y dan origen a otras cada vez más delgadas, las **arteriolas**, que finalmente se convierten en unos delgadísimos conductos, los **capilares**, cuyas paredes, constituidas por una sola capa de células, son tan finas que hacen posible los intercambios entre la sangre y los tejidos. A continuación, los capilares se transforman en **vénulas** y éstas se unen entre sí formando **venas** cada vez de mayor calibre que llevan la sangre pobre en oxígeno y cargada de residuos en dirección al corazón.

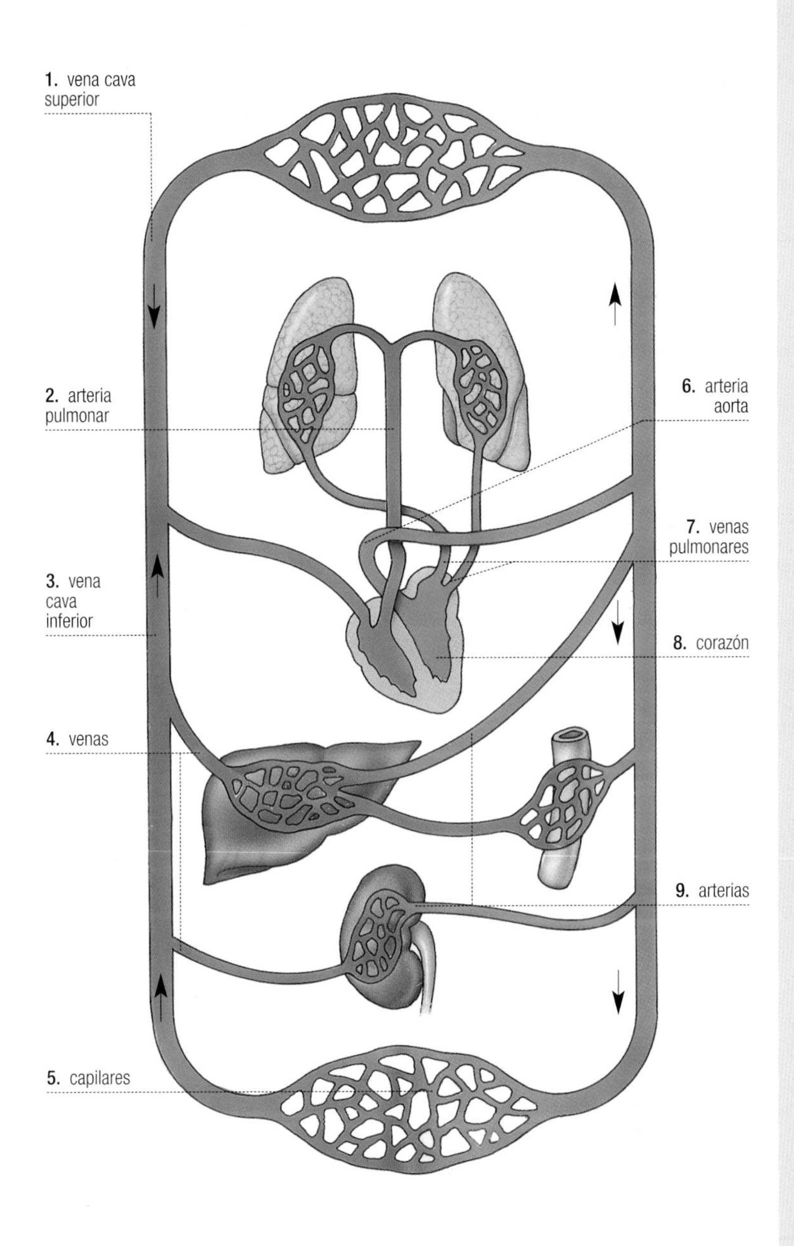
1. vena cava superior
2. arteria pulmonar
3. vena cava inferior
4. venas
5. capilares
6. arteria aorta
7. venas pulmonares
8. corazón
9. arterias

CORAZÓN

VISTO DE FRENTE

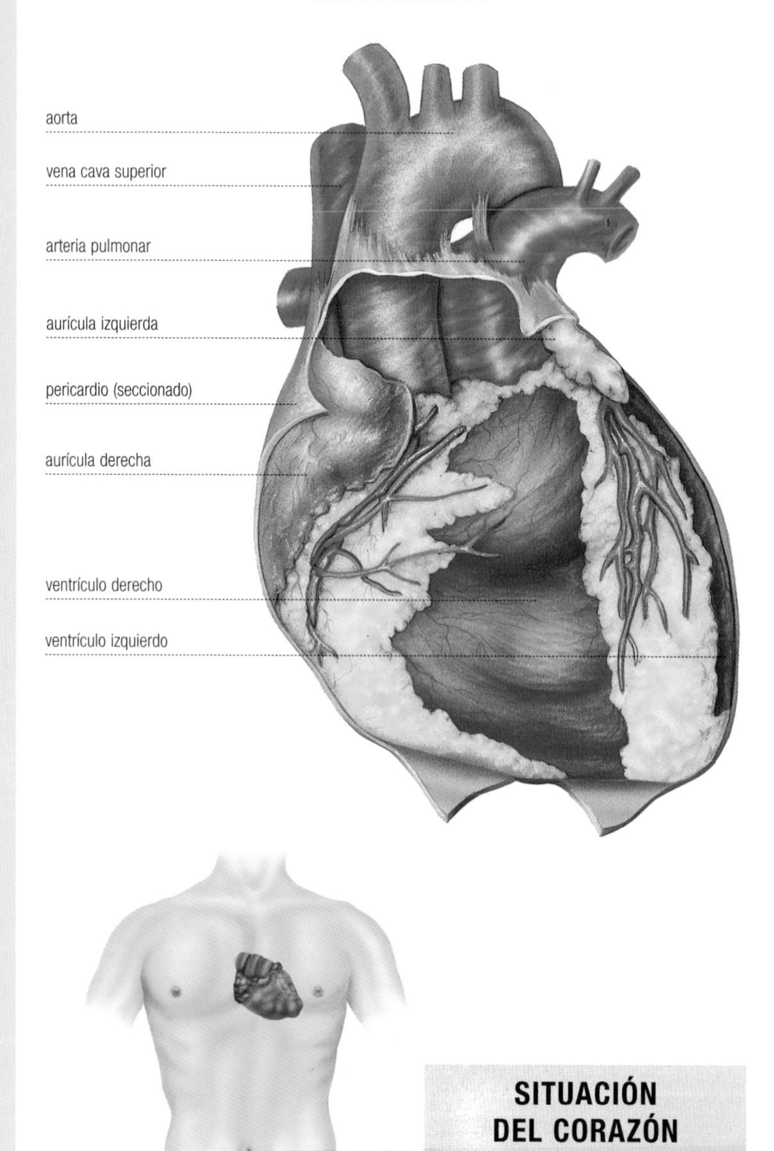

SITUACIÓN DEL CORAZÓN

CORAZÓN

VISTO DE ATRÁS

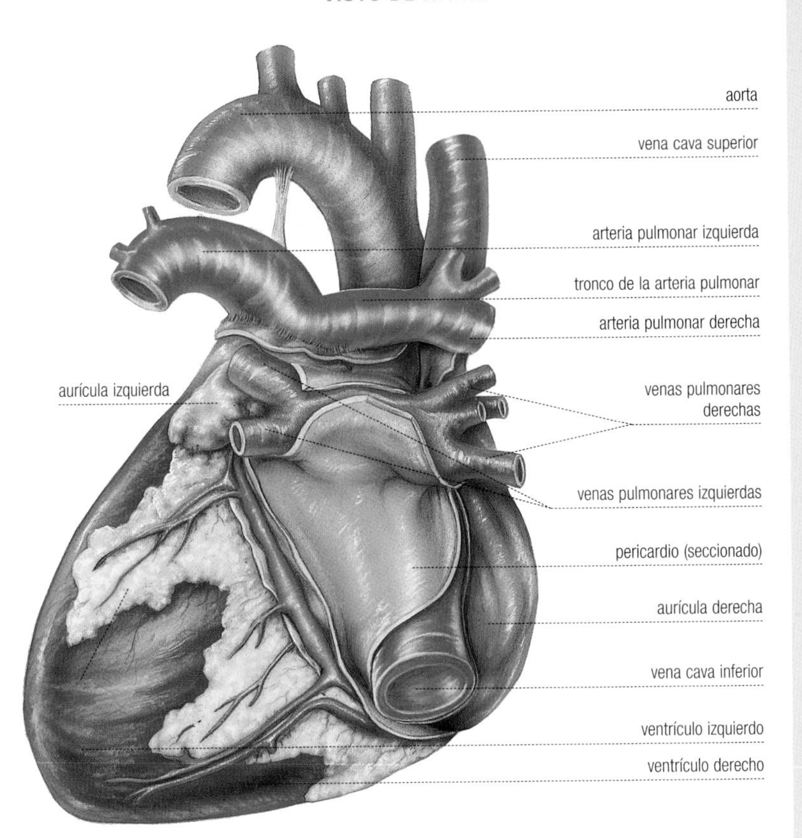

El corazón, motor del aparato circulatorio, es un órgano del tamaño de un puño cerrado situado en el centro del tórax, entre los dos pulmones, en un espacio denominado **mediastino**. Recubierto por una doble membrana serosa llamada **pericardio**, tiene la forma de un cono irregular emplazado en posición oblicua: la base está orientada hacia arriba y a la derecha, mientras que su vértice apunta hacia abajo y a la izquierda.

SECCIÓN LONGITUDINAL DEL CORAZÓN

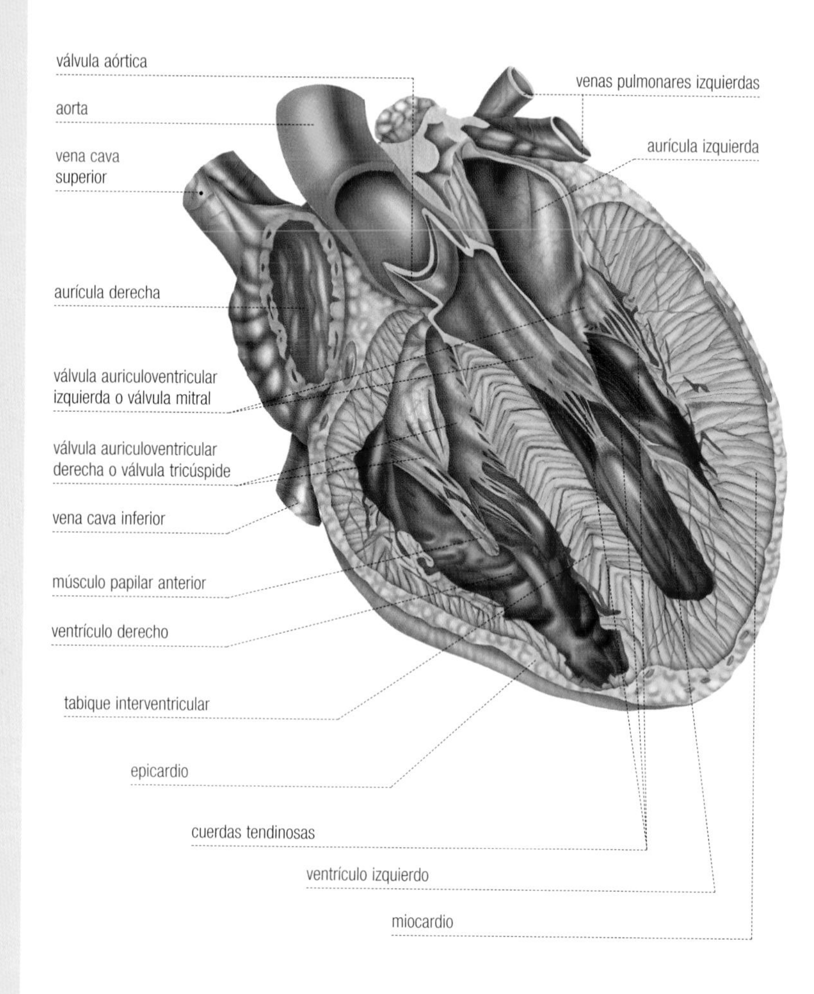

LAS CÁMARAS CARDÍACAS

El corazón es un órgano hueco de gruesas paredes musculares cuyo interior está dividido en cuatro cámaras: las dos superiores son las aurículas y las dos inferiores, los ventrículos.

VÁLVULAS CARDÍACAS

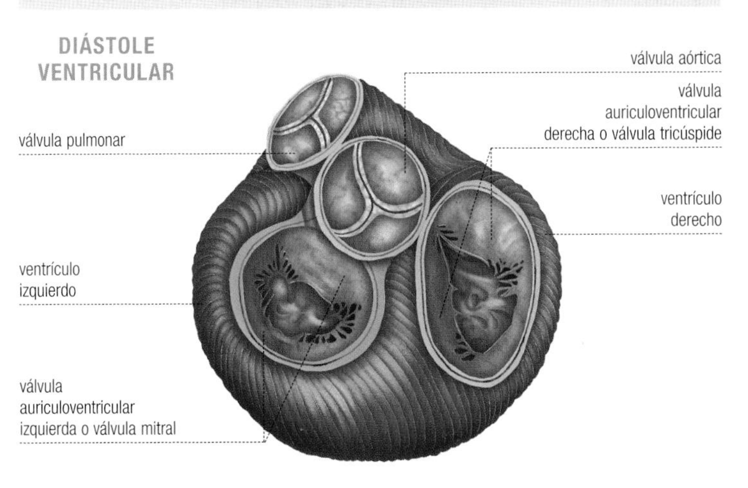

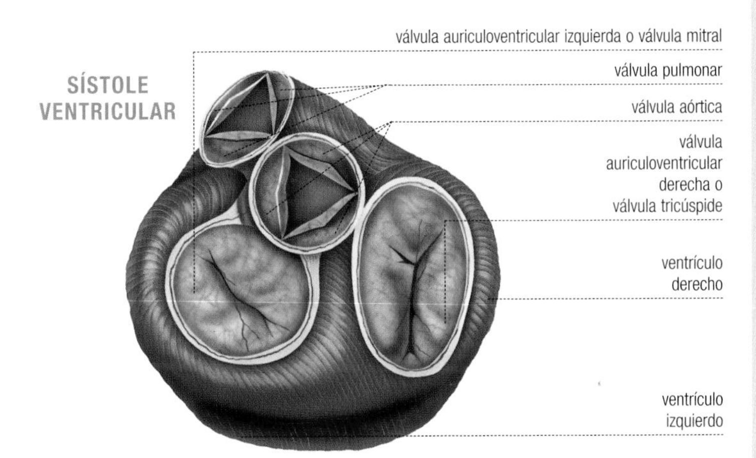

La sangre circula por el interior del corazón **en un solo sentido**: desde cada aurícula hacia el ventrículo del mismo lado y desde cada ventrículo hacia la arteria que surge del mismo, la pulmonar del derecho y la aorta del izquierdo. Esta circulación unidireccional es posible gracias a cuatro válvulas que, sincrónicamente en las distintas fases del latido cardíaco, permiten el paso de sangre de un sector a otro e impiden su reflujo: dos **válvulas auriculoventriculares**, una derecha (válvula tricúspide) y otra izquierda (válvula mitral), y dos **válvulas sigmoideas**, una situada entre el ventrículo derecho y la arteria pulmonar (válvula pulmonar), la otra entre el ventrículo izquierdo y la aorta (válvula aórtica).

VASOS CORONARIOS

VISIÓN FRONTAL Y POSTERIOR

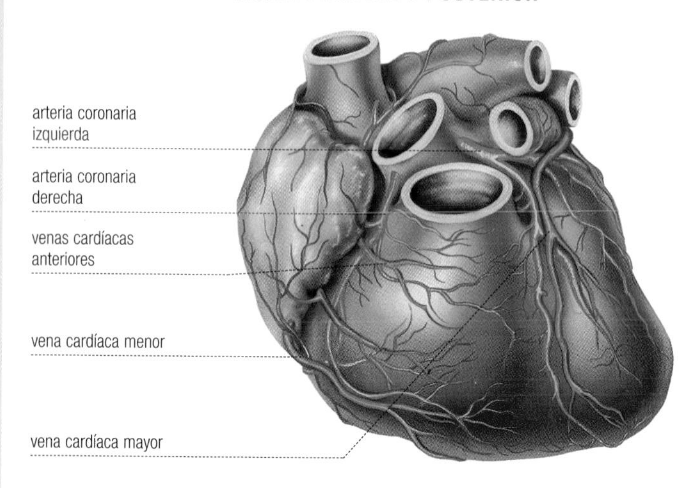

El corazón cuenta con un **sistema de irrigación** propia proporcionado por una red de vasos que lo rodean como una corona. Las dos arterias coronarias principales, la izquierda y la derecha, nacen de la aorta y sus numerosas ramificaciones llegan a todos los sectores del corazón, llevando sangre oxigenada. Después de irrigar el tejido cardíaco, la sangre pobre en oxígeno pasa a una red de pequeños vasos venosos que se unen entre sí para formar venas cada vez más grandes que llegan al seno coronario, un conducto que desemboca en la aurícula derecha.

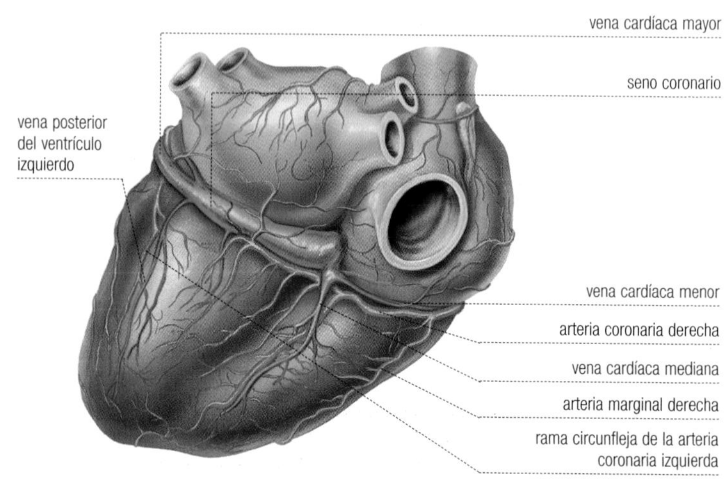

SISTEMA DE CONDUCCIÓN ELÉCTRICA DEL CORAZÓN

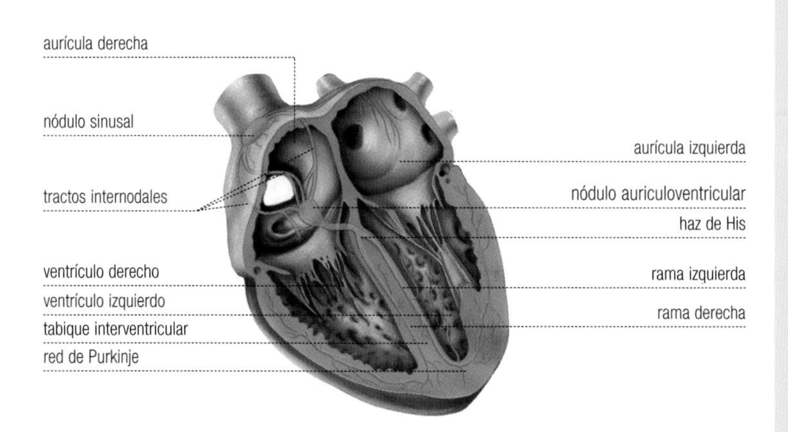

Los **latidos** del corazón se producen merced a unos **estímulos eléctricos** que se generan rítmicamente de manera espontánea en unas fibras musculares cardíacas especializadas y se propagan por otras fibras también específicas a los diferentes sectores del órgano, determinando la contracción secuencial de sus diversas cámaras.

CICLO CARDÍACO

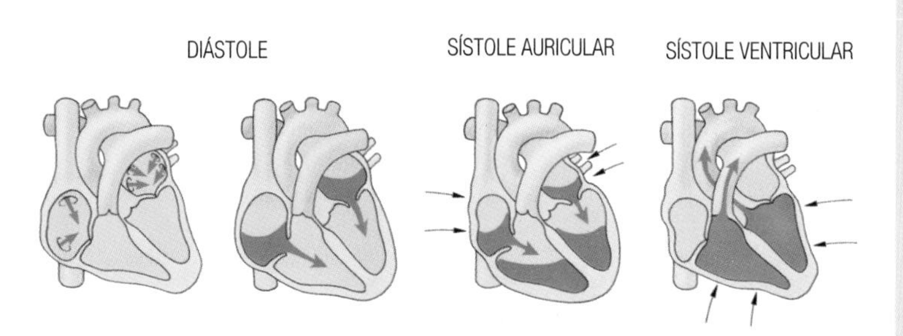

En cada latido se suceden sincrónicamente la **dilatación** (diástole) y la **contracción** (sístole) de cada cámara cardíaca: la sangre pasa de cada aurícula al ventrículo de su lado y de éste a la arteria correspondiente, en un ciclo que se repite sin cesar.

PRINCIPALES ARTERIAS DEL ORGANISMO

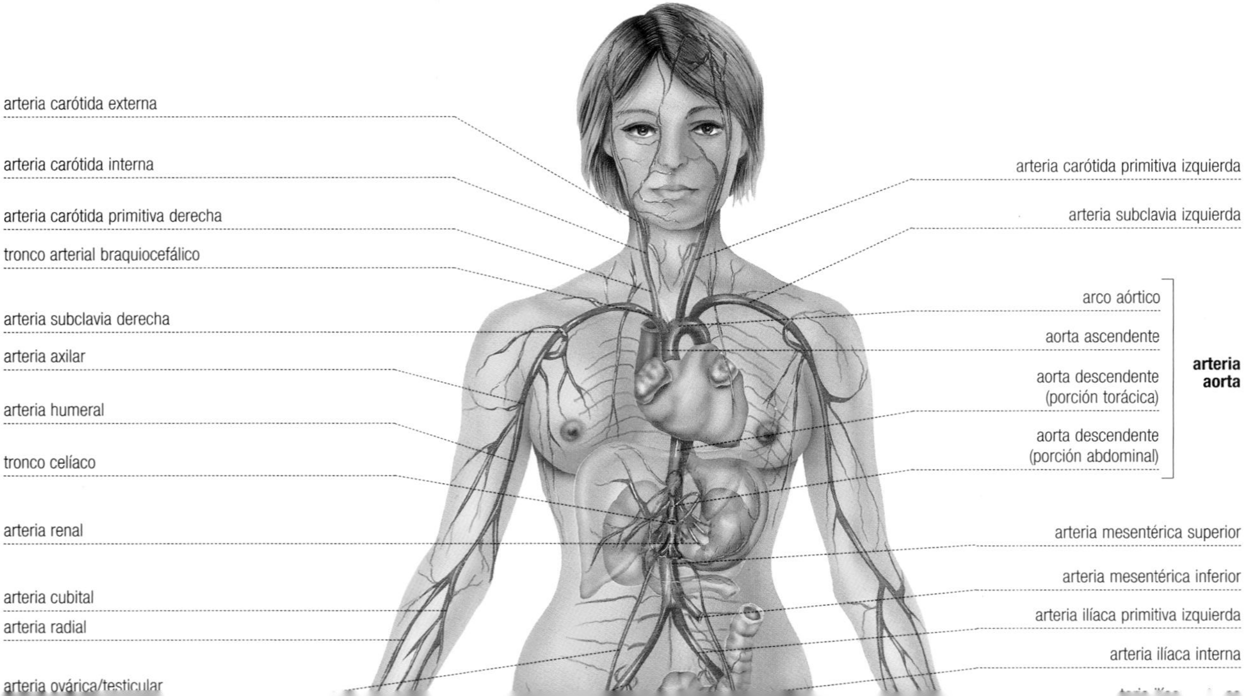

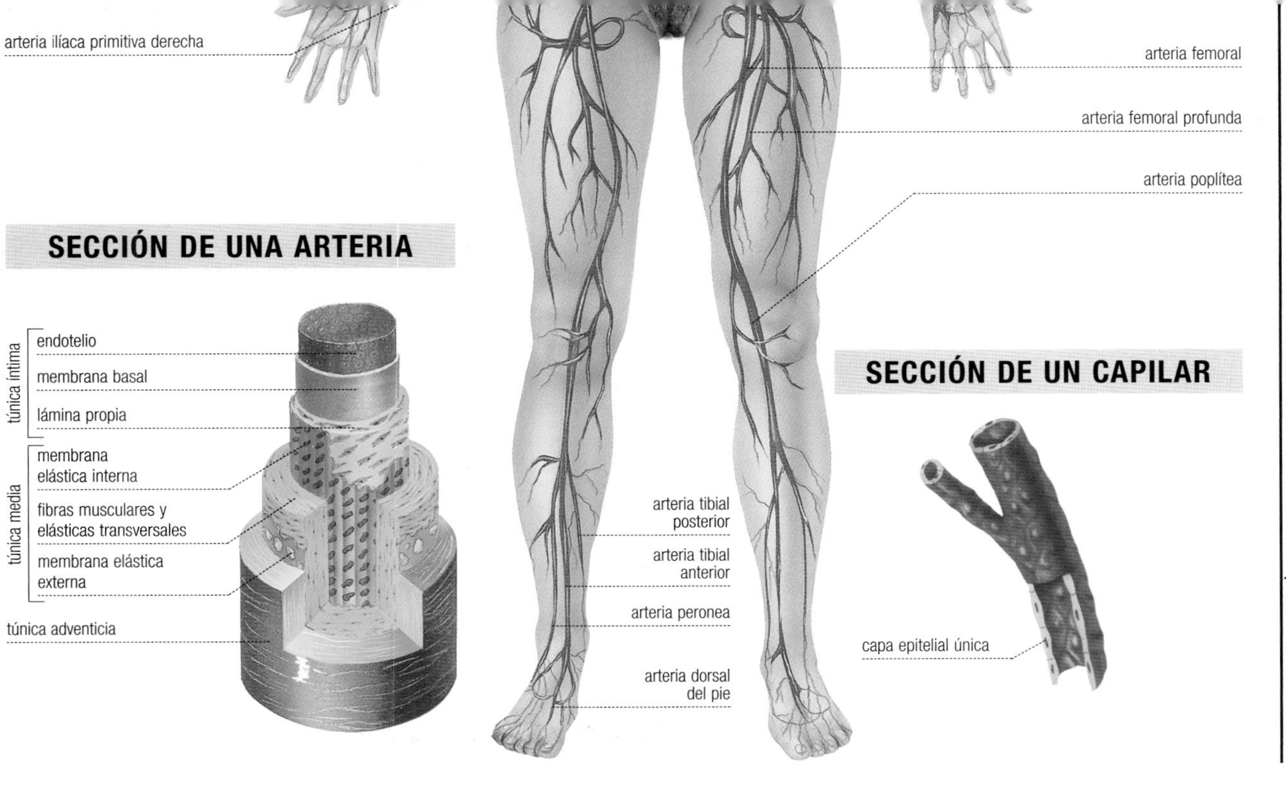
arteria ilíaca primitiva derecha
arteria femoral
arteria femoral profunda
arteria poplítea
SECCIÓN DE UNA ARTERIA
túnica íntima
endotelio
membrana basal
lámina propia
túnica media
membrana elástica interna
fibras musculares y elásticas transversales
membrana elástica externa
túnica adventicia
arteria tibial posterior
arteria tibial anterior
arteria peronea
arteria dorsal del pie
SECCIÓN DE UN CAPILAR
capa epitelial única

PRINCIPALES VENAS DEL ORGANISMO

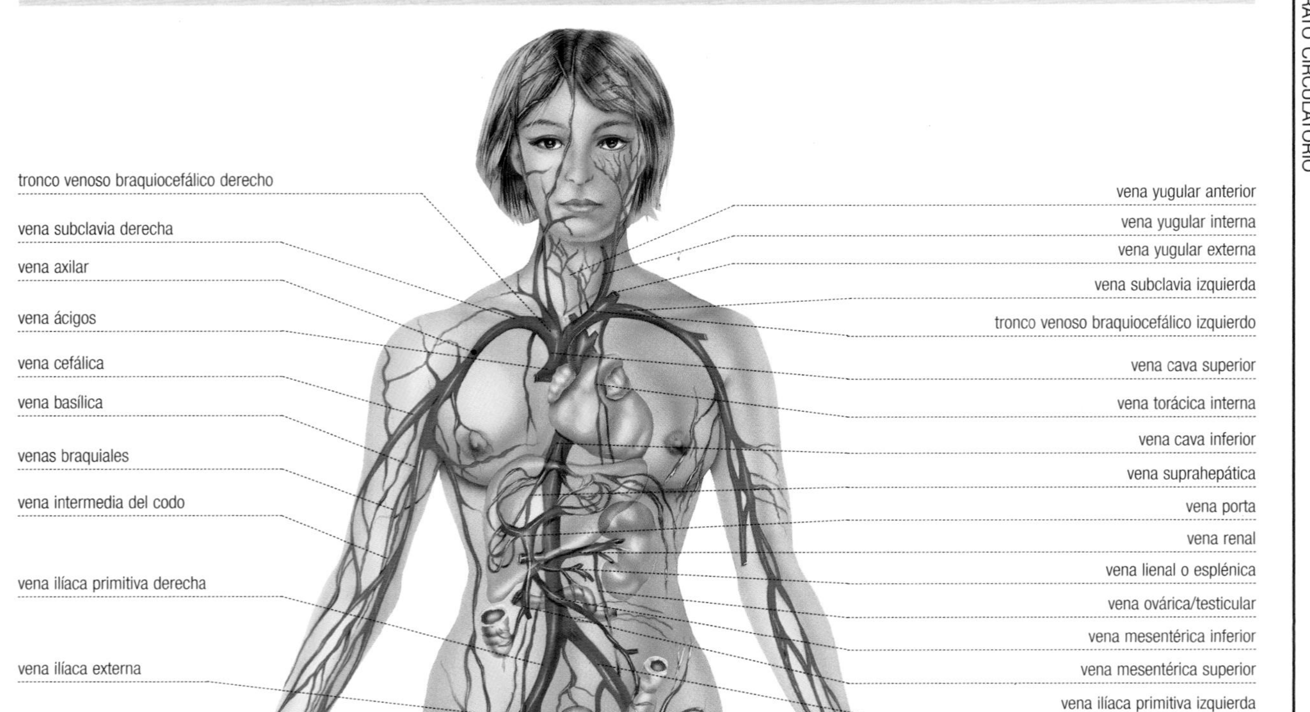

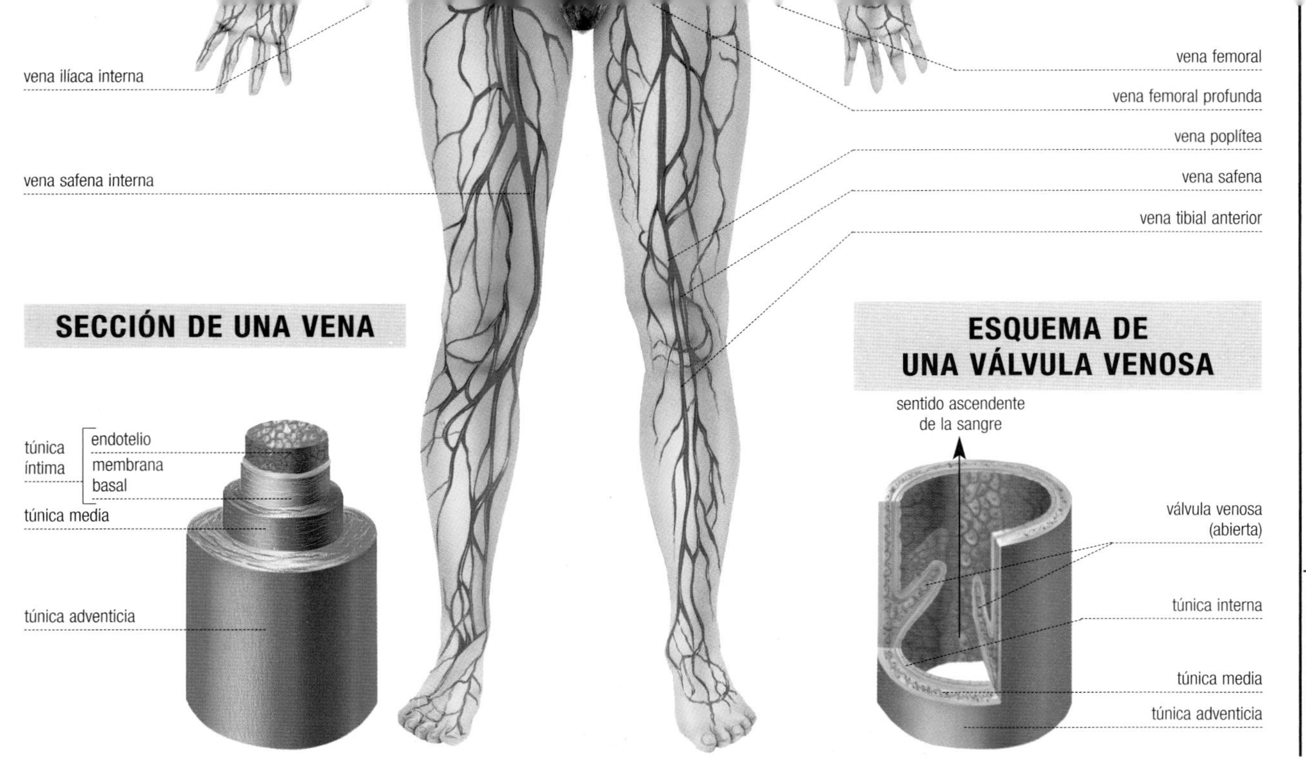
vena ilíaca interna
vena safena interna
vena femoral
vena femoral profunda
vena poplítea
vena safena
vena tibial anterior
SECCIÓN DE UNA VENA
túnica íntima
endotelio
membrana basal
túnica media
túnica adventicia
ESQUEMA DE UNA VÁLVULA VENOSA
sentido ascendente de la sangre
válvula venosa (abierta)
túnica interna
túnica media
túnica adventicia

La sangre es el **fluido** viscoso de color rojizo que recorre sin cesar el interior del aparato circulatorio llevando a todos los tejidos del cuerpo tanto el **oxígeno** y los **nutrientes** como los demás elementos que requieren las células para su metabolismo y, a la par, transportando los **residuos tóxicos** hasta los órganos encargados de su eliminación.

COMPOSICIÓN DE LA SANGRE

La sangre está formada por un líquido de coloración amarillenta constituido fundamentalmente por agua, el **plasma**, que contiene disueltas múltiples sustancias y lleva en suspensión las diversas **células sanguíneas**.

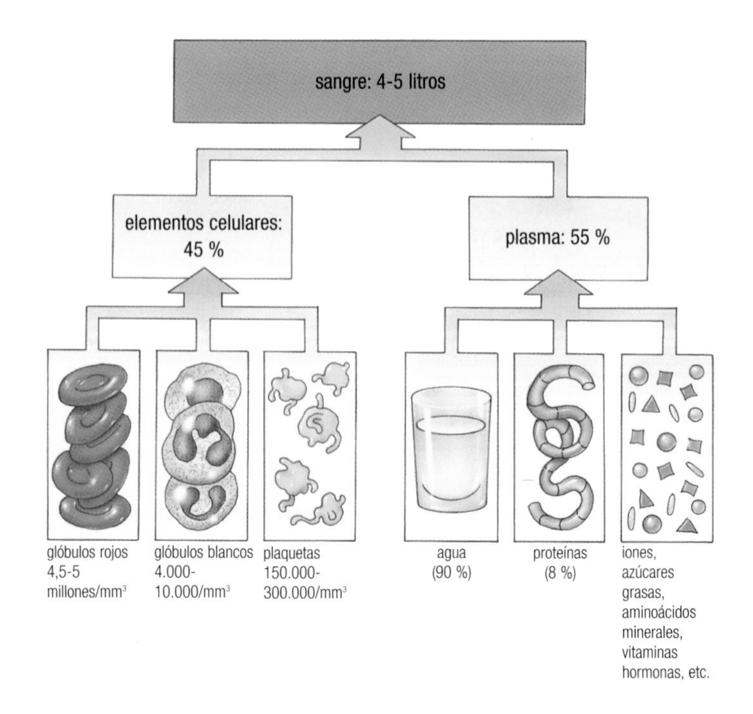

FORMACIÓN DE LAS CÉLULAS SANGUÍNEAS

De manera constante se forman nuevos corpúsculos sanguíneos destinados a reemplazar los que van envejeciendo y resultan destruidos: cada día se generan miles y miles de millones de glóbulos rojos, glóbulos blancos y plaquetas. Este proceso, denominado **hematopoyesis**, ocurre fundamentalmente en la médula ósea a partir de unas células precursoras comunes, las células madre pluripotenciales, capaces de reproducirse a sí mismas y de dar origen a diferentes células madre monopotenciales, de cuya maduración derivan las diversas células sanguíneas.

LAS CÉLULAS DE LA SANGRE

En el plasma sanguíneo flotan diversos tipos de corpúsculos celulares, cada uno de los cuales tiene una función específica:

- los **glóbulos rojos**, llamados también hematíes o eritrocitos, se encargan de transportar el oxígeno desde los pulmones hasta los tejidos y el dióxido de carbono derivado del metabolismo celular en dirección inversa;
- los **glóbulos blancos**, llamados también leucocitos, con sus distintas variedades, forman parte del sistema inmunitario y protegen al organismo de las infecciones;
- las **plaquetas**, llamadas también trombocitos, participan en el proceso de coagulación destinado a detener las hemorragias.

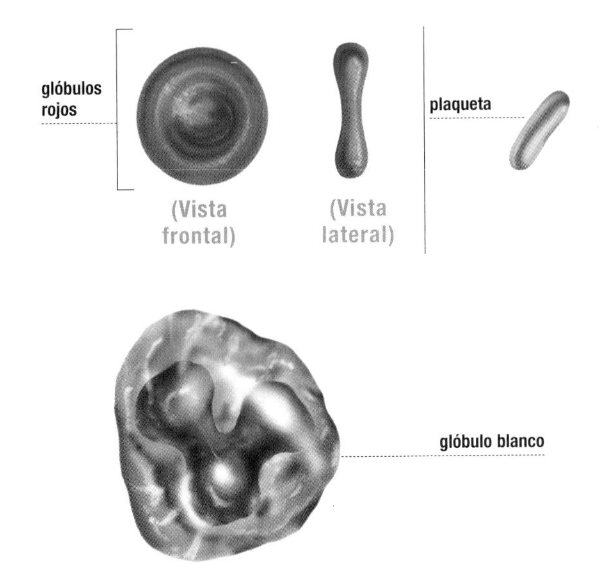

MÉDULA ÓSEA

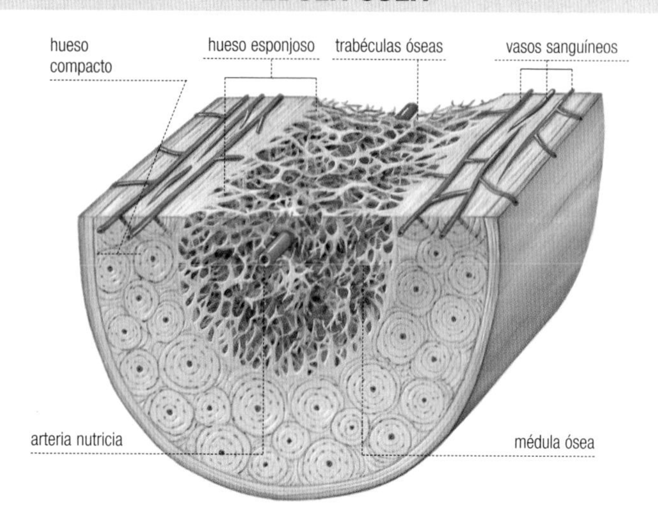

LOCALIZACIÓN DE LA MÉDULA ÓSEA ACTIVA EN EL ADULTO

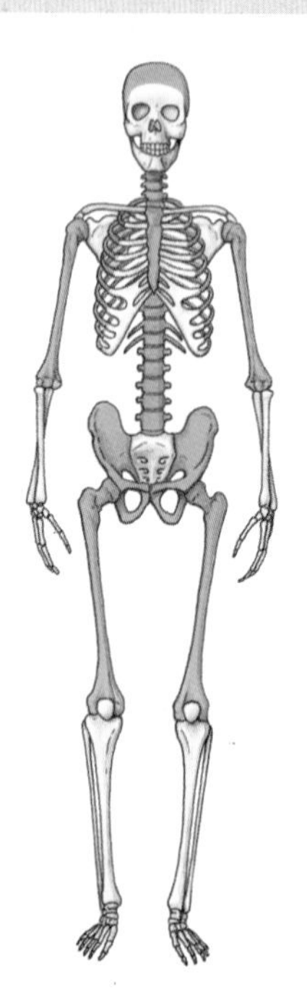

Las células de la sangre se producen fundamentalmente en la médula ósea, un tejido especializado presente en el **interior de los huesos**. En el recién nacido, hay médula ósea activa en todos los huesos del esqueleto, pero con la edad, sobre todo a partir de la adolescencia, buena parte es reemplazada por tejido graso.

BAZO

VISTA VENTROMEDIAL

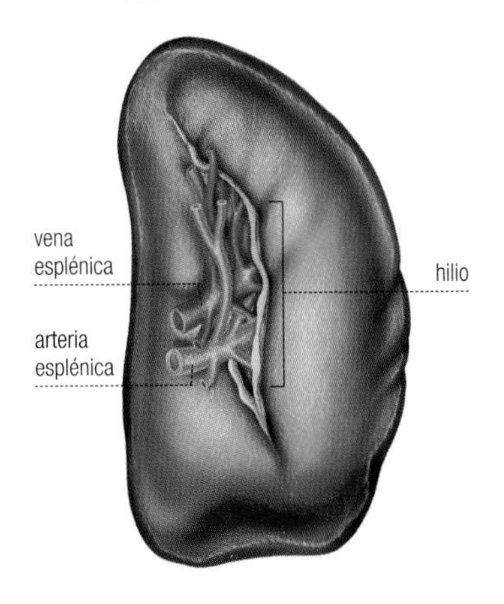

SECCIÓN

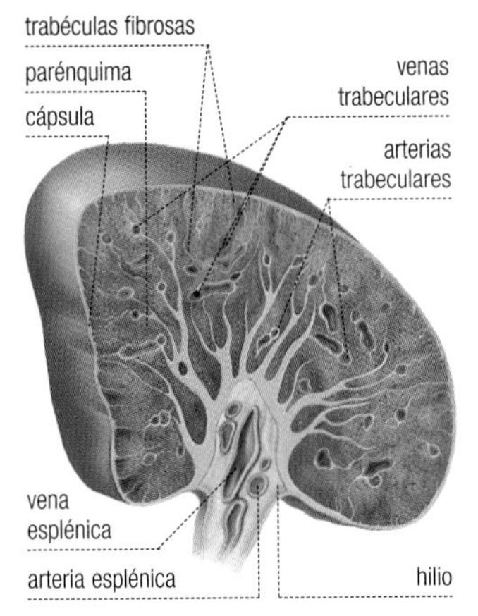

ESTRUCTURA MICROSCÓPICA DEL BAZO

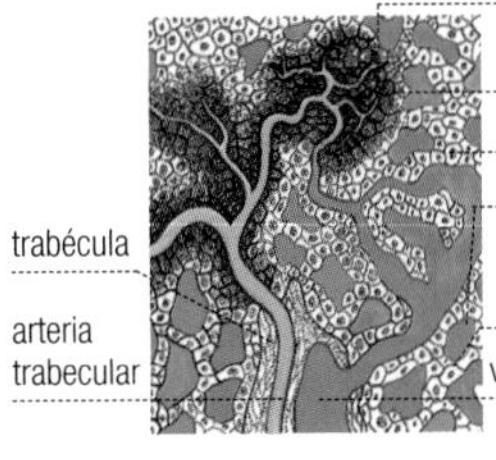

El bazo es un órgano situado en la parte superior izquierda del abdomen que durante la vida uterina produce todo tipo de células sanguíneas, pero luego sólo fabrica algunos glóbulos blancos. Su principal función consiste en destruir los **glóbulos rojos envejecidos**, aunque también participa en el sistema inmunitario, puesto que actúa como **filtro** de gérmenes e impurezas de la sangre que circula por su interior.

SITUACIÓN DEL BAZO

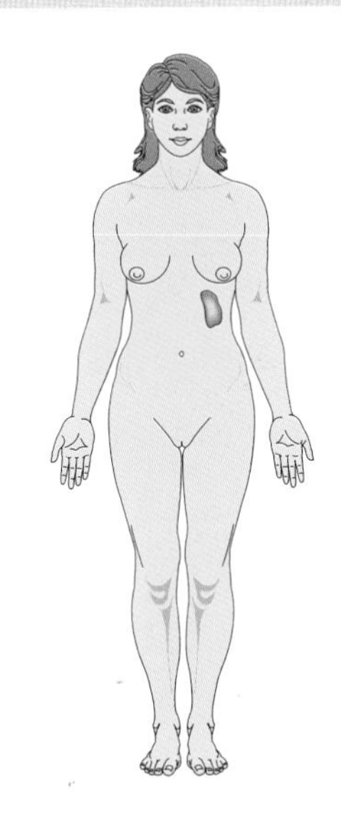

El sistema linfático está formado por una intrincada **red de conductos**, los vasos linfáticos, que drenan el líquido que baña los **espacios intercelulares** y las minúsculas partículas allí presentes para transportar ese fluido, denominado **linfa**, en dirección al sistema circulatorio, a fin de que se incorpore al torrente sanguíneo, pasando en su trayecto por unas formaciones nodulares, los **ganglios linfáticos**, que albergan abundantes glóbulos blancos y **actúan como filtro** de gérmenes e impurezas.

RELACIÓN ENTRE LA CIRCULACIÓN LINFÁTICA Y LA SANGUÍNEA

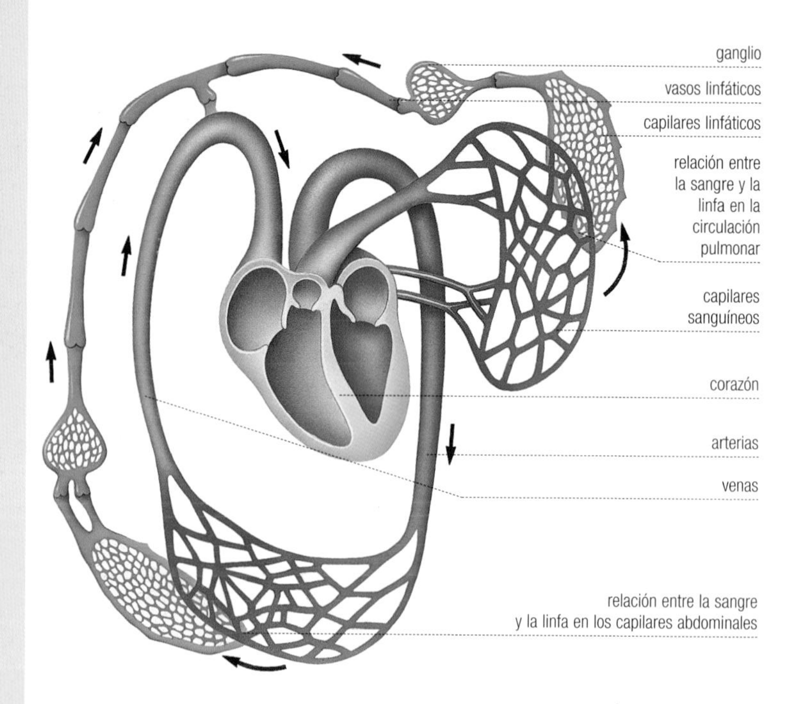

La principal misión del sistema linfático consiste en **recoger** el líquido plasmático que, en el seno de los tejidos, pasa en exceso de los capilares sanguíneos a los espacios intercelulares, drenando estos diminutos «huecos» que hay entre las células para que no se inunden: a través de una compleja red de conductos que finalmente desembocan en el sistema venoso, ese líquido excedente volverá a incorporarse a la circulación sanguínea.

SECCIÓN ESQUEMÁTICA DE UN CAPILAR LINFÁTICO

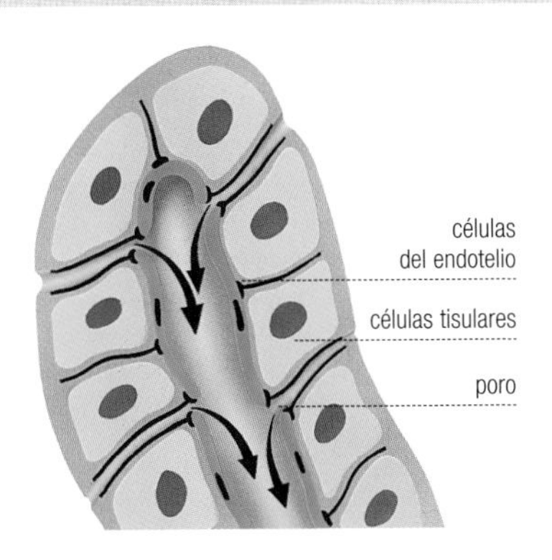

RELACIÓN ENTRE CAPILARES LINFÁTICOS Y SANGUÍNEOS

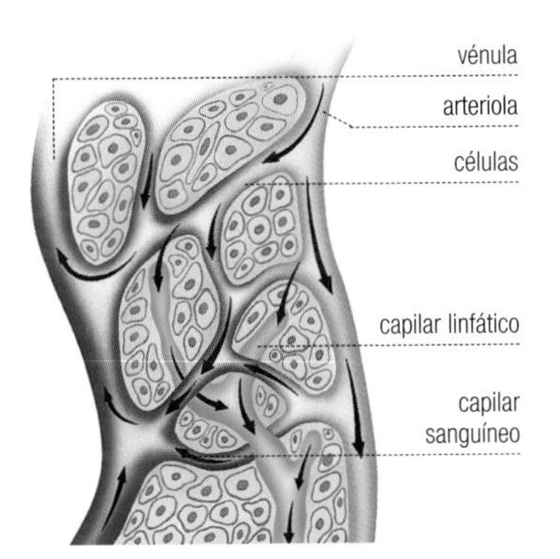

Los capilares linfáticos, presentes en todos los tejidos del cuerpo, son **vasos muy delgados** que tienen un extremo cerrado y cuyas paredes están formadas por una sola capa de células endoteliales: a través de los **poros** que hay entre estas células **absorben** el líquido excedente, las proteínas, los gérmenes y todo tipo de partículas extrañas presentes en su entorno.

PASO DE GLÓBULOS BLANCOS DE LA SANGRE A LA LINFA

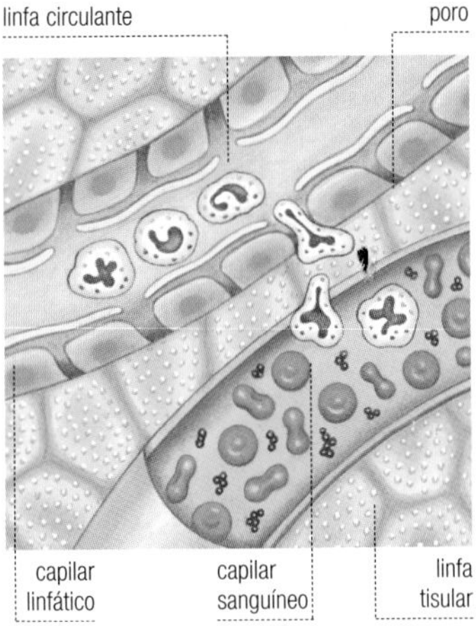

Inmersos en la linfa circulan numerosos glóbulos blancos destinados a desarrollar **funciones defensivas**, muchos de los cuales pasan de los capilares sanguíneos a los linfáticos.

VASOS LINFÁTICOS

VISIÓN EXTERNA

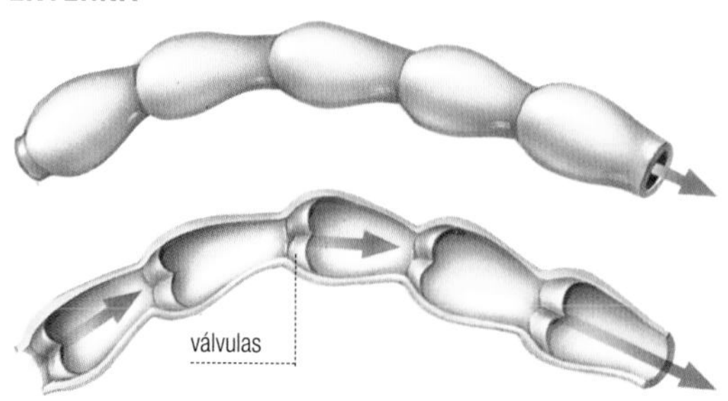

SECCIÓN LONGITUDINAL

Los vasos linfáticos constituyen la **continuación de los capilares** y progresivamente aumentan de diámetro, confluyendo entre sí para formar otros cada vez más gruesos. Cuentan en el interior con **válvulas** que dejan pasar la linfa en un solo sentido e impiden su reflujo, para garantizar la circulación en la dirección adecuada.

GANGLIO LINFÁTICO

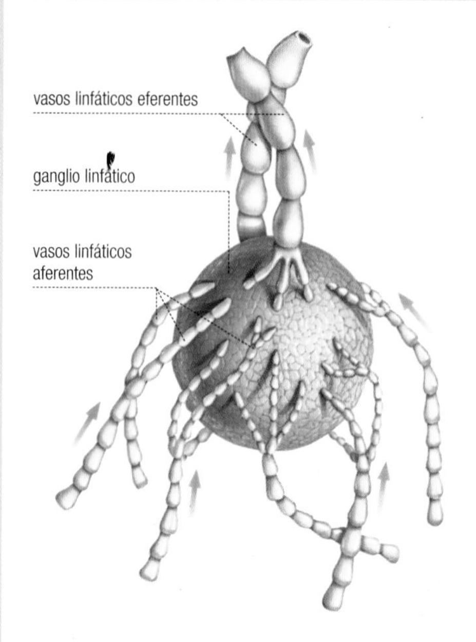

Los ganglios linfáticos, intercalados en el trayecto de los vasos que transportan la linfa, son unas **formaciones globulares** cuyo tamaño, en condiciones normales, no supera los 2 cm de diámetro. Constan de una cápsula externa fibrosa de la cual surgen diversos tabiques que dividen en sectores el interior, donde hay acúmulos de **tejido linfoide** que albergan multitud de glóbulos blancos con **funciones defensivas**.

REPRESENTACIÓN ESQUEMÁTICA DEL SISTEMA LINFÁTICO

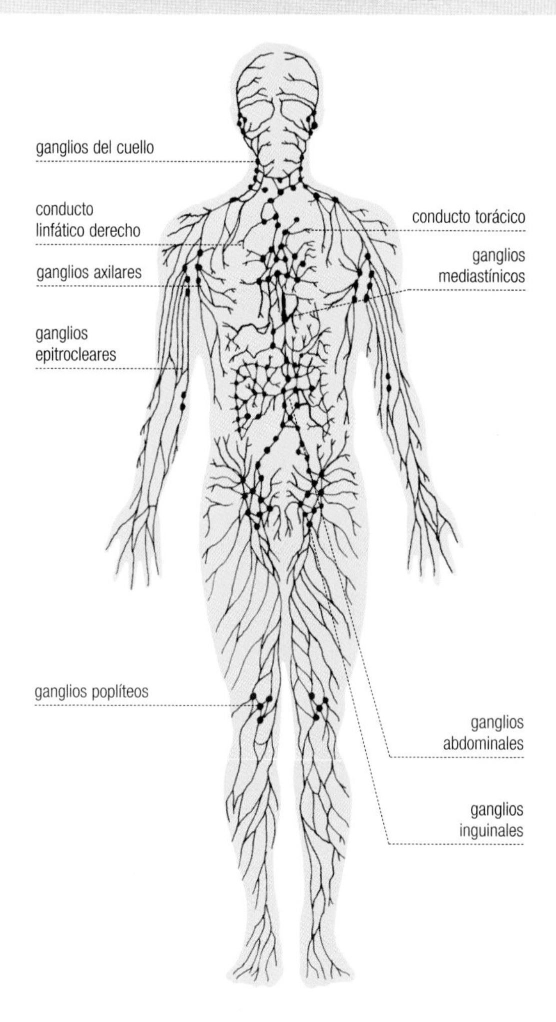

Los vasos linfáticos de todo el cuerpo **confluyen entre sí** y finalmente abocan su contenido en dos grandes canales, el **conducto torácico** y el **conducto linfático derecho**. Estos conductos desembocan respectivamente en las venas subclavias izquierda y derecha, que a su vez desembocan en la vena cava superior: de este modo, la linfa llega a la circulación sanguínea.

El sistema nervioso, integrado por los órganos que constituyen el encéfalo, la médula espinal y una red de nervios que llegan hasta todos los rincones del cuerpo, rige todas nuestras **acciones voluntarias**, regula el **funcionamiento automático** del organismo, es responsable de las relaciones que mantenemos con el medio exterior y constituye la sede de la **actividad intelectual**.

COMPONENTES DEL SISTEMA NERVIOSO

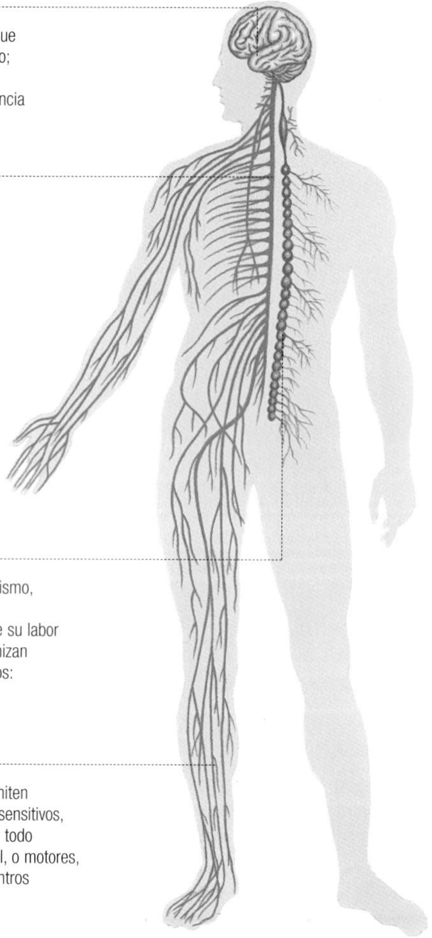

encéfalo

parte del sistema nervioso central que se encuentraen el interior del cráneo; se compone de diversos órganos: el cerebro, el cerebelo, la protuberancia y el bulbo raquídeo

médula espinal

constituye la red de distribución del sistema nervioso central; se encuentra situada en el interior de la columna vertebral y de ella salen todos los nervios que forman el sistema nervioso periférico

sistema nervioso autónomo o vegetativo

regula la actividad interna del organismo, por lo que su funcionamiento no depende de nuestra voluntad; ejerce su labor a través de dos sistemas que armonizan las funciones de los distintos órganos: el simpático y el parasimpático

nervios periféricos

haces o grupos de fibras que transmiten los impulsos nerviosos; pueden ser sensitivos, si llevan sensaciones y estímulos de todo el cuerpo al sistema nervioso central, o motores, cuando llevan las órdenes de los centros nerviosos a todo el organismo

ESTRUCTURA DE UNA NEURONA

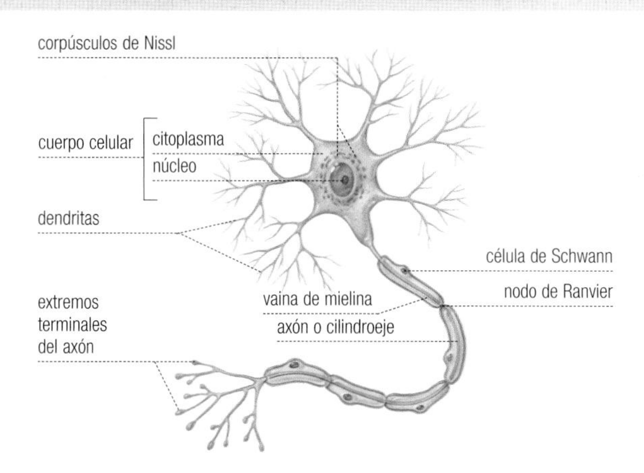

TIPOS DE NEURONA

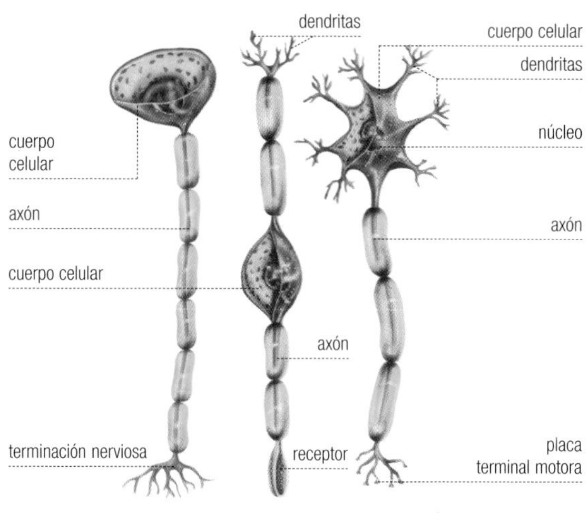

El tejido nervioso está compuesto por unas **células especializadas** llamadas neuronas, de distintas formas y dimensiones pero todas con una estructura común. Cada neurona tiene un cuerpo celular del cual surgen dos tipos de prolongaciones: las **dendritas**, ramificaciones cortas y arborescentes a través de las cuales le llegan los impulsos procedentes de otras células nerviosas, y el **axón**, o cilindroeje, extensión única y larga a través de la cual transmite los impulsos a otras células nerviosas o a los tejidos del cuerpo.

SECCIÓN LONGITUDINAL DEL ENCÉFALO

El encéfalo es la parte del sistema nervioso constituida por las estructuras contenidas en el cráneo:

- el **cerebro**, que es el órgano más voluminoso e importante, porque controla toda la actividad voluntaria y gran parte de la actividad involuntaria del cuerpo, además de ser la sede de los procesos mentales;

- el **tronco encefálico**, compuesto a su vez por la protuberancia anular, o puente de Varolio, y el bulbo raquídeo, sede de centros que regulan funciones vitales así como de los núcleos de origen de la mayoría de los nervios craneales;

- el **cerebelo**, que participa en el control del equilibrio y modula los movimientos corporales.

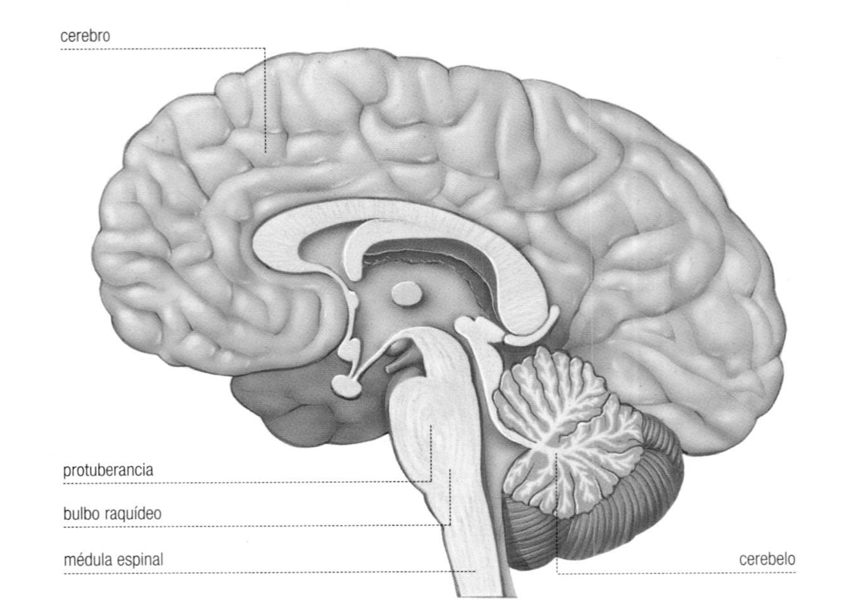

ENCÉFALO VISTO DESDE ABAJO

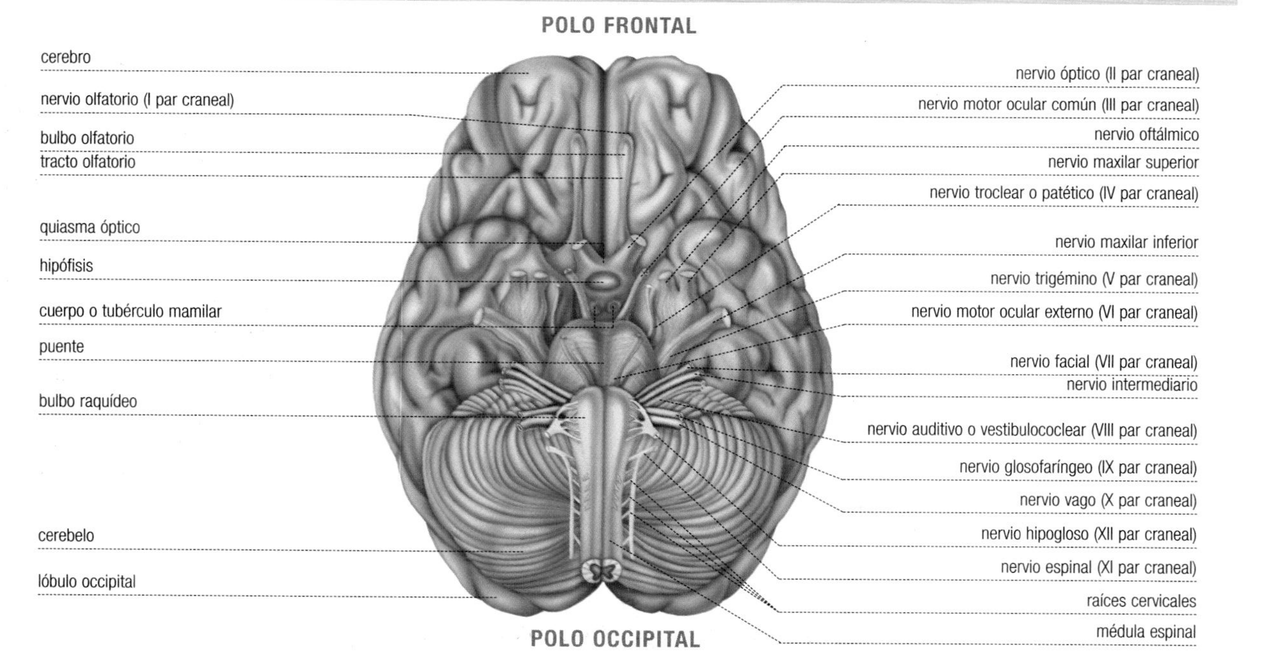

CEREBRO

VISTA DESDE ARRIBA

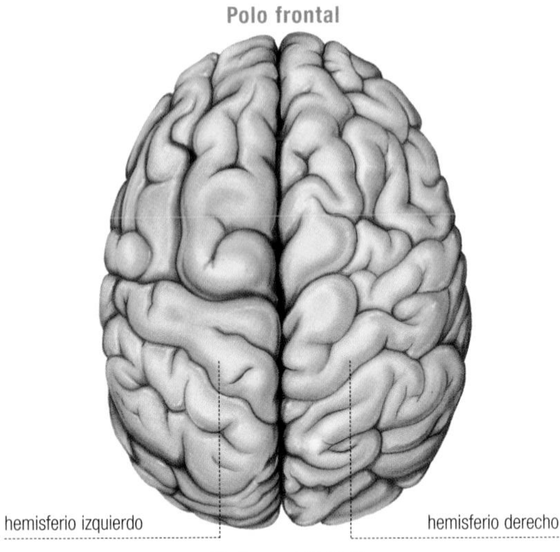

SECCIÓN TRANSVERSAL DEL CEREBRO

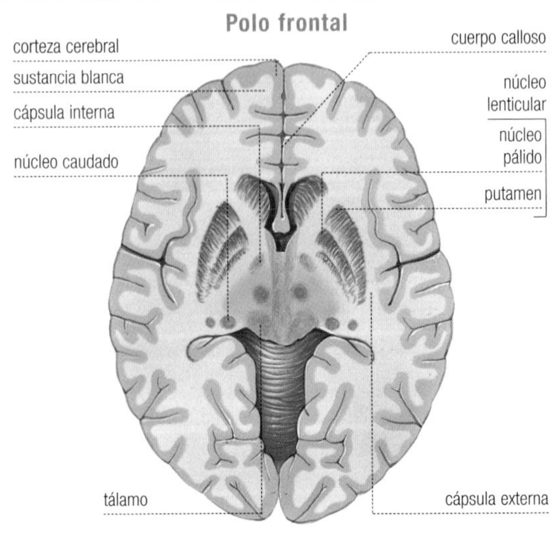

CEREBRO

VISTA DE LADO

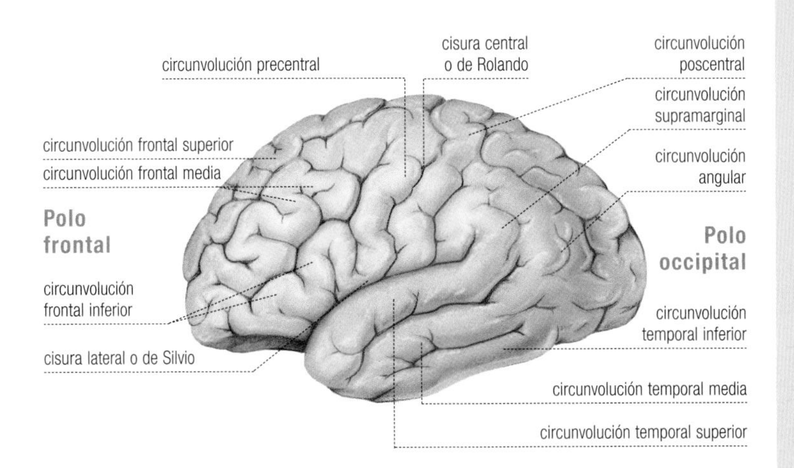

HEMISFERIO CEREBRAL

VISIÓN DE LA CARA INTERNA

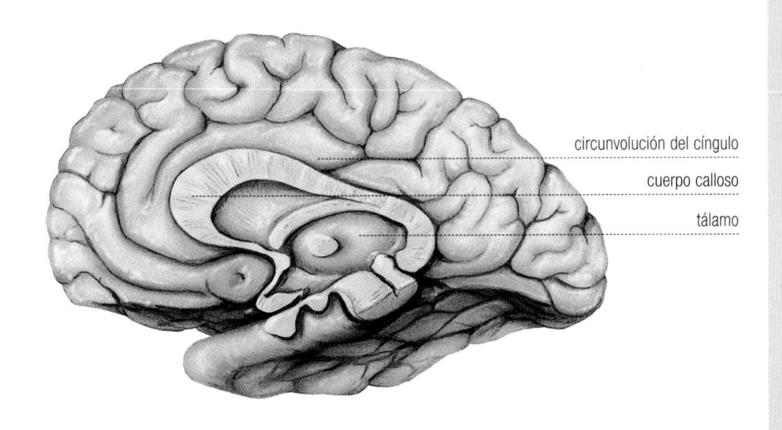

MENINGES

Las meninges son tres **membranas** concéntricas que **envuelven** y **protegen** el encéfalo y la médula espinal: la **duramadre**, que es la más externa, gruesa y resistente; la **aracnoides**, que es la intermedia, sutil y elástica; y la **piamadre**, que es la más interna, fina y delicada, adherida a la superficie del encéfalo y la médula espinal.

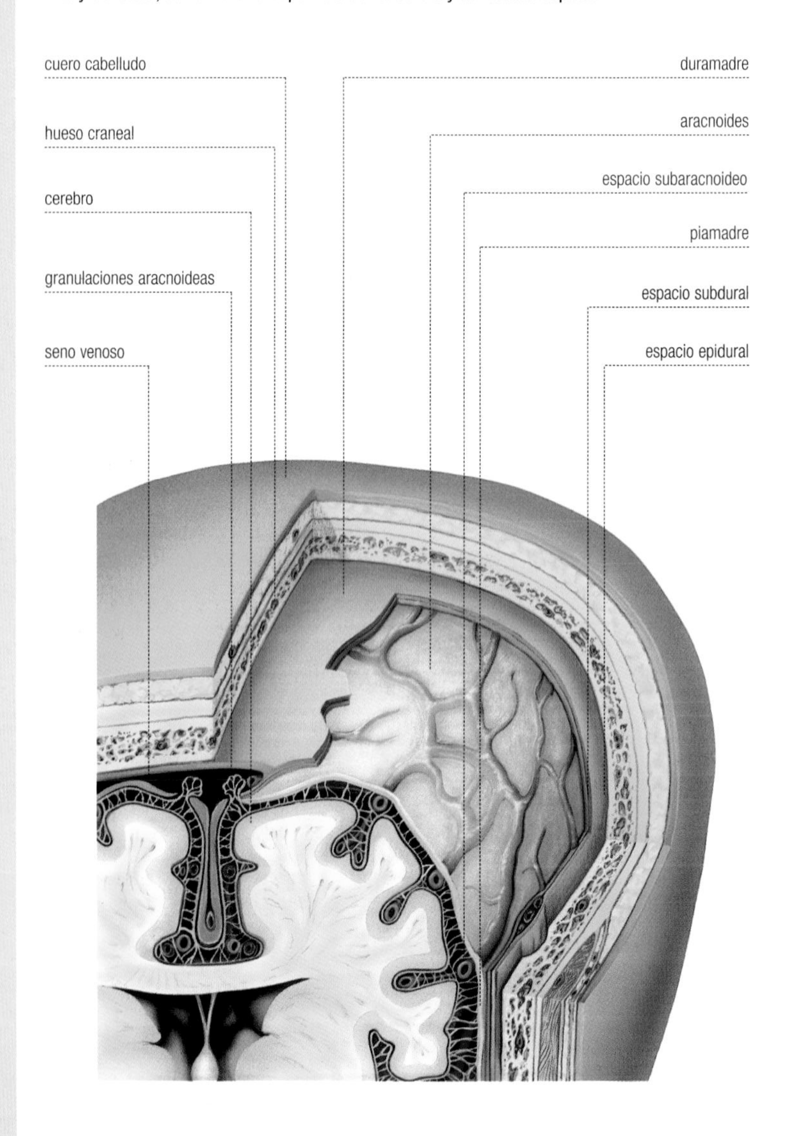

VENTRÍCULOS CEREBRALES

En el interior del encéfalo hay diversas **cavidades** rellenas de **líquido cefalorraquídeo** conectadas entre sí: los ventrículos laterales, el tercer ventrículo y el cuarto ventrículo, que está en comunicación con el espacio subaracnoideo y por abajo se continúa con el conducto central de la médula espinal.

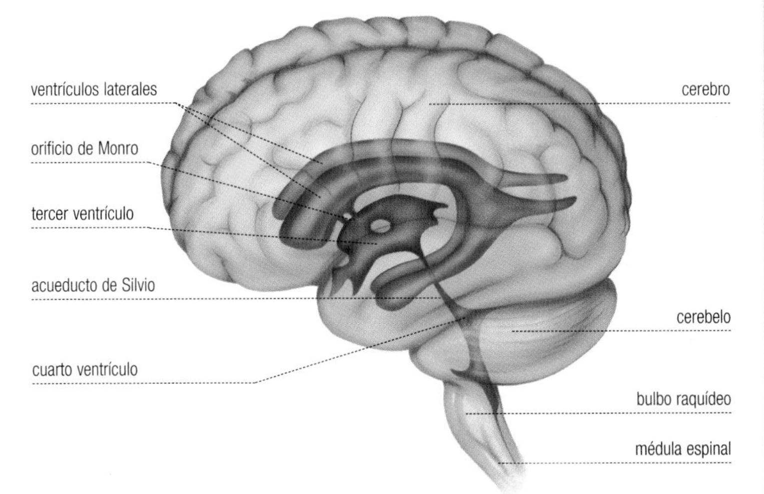

ÁREAS CEREBRALES

El cerebro desarrolla múltiples y variadas **funciones**, algunas muy sofisticadas: es en este órgano, por ejemplo, donde se hacen conscientes las sensaciones y se elaboran procesos tan complejos como el pensamiento, la memoria, el lenguaje...

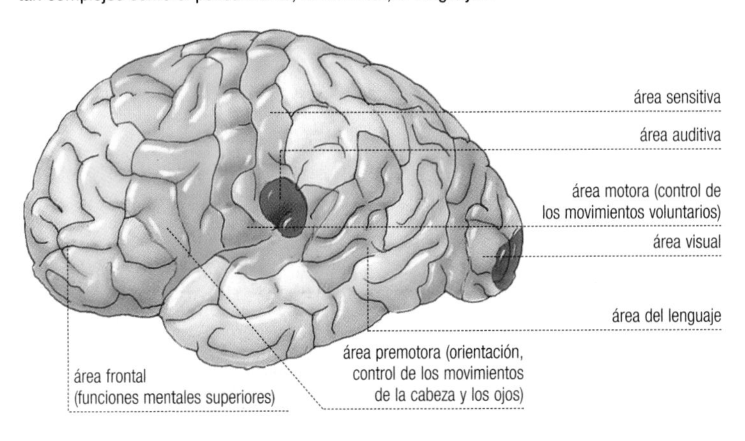

SECCIÓN DE LA COLUMNA VERTEBRAL Y LA MÉDULA ESPINAL

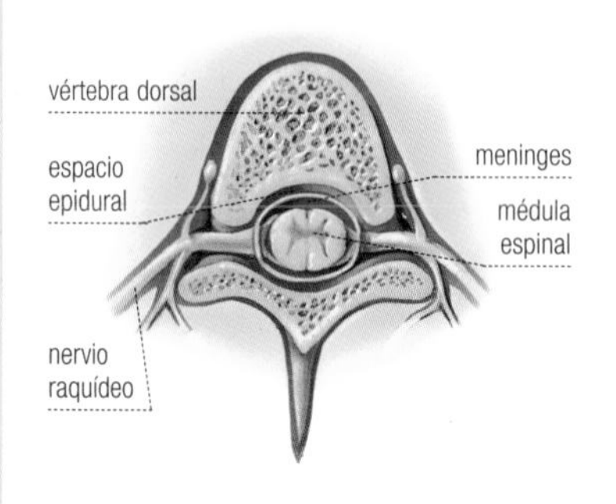

SECTOR DE LA MÉDULA ESPINAL CON LAS RAÍCES RAQUÍDEAS

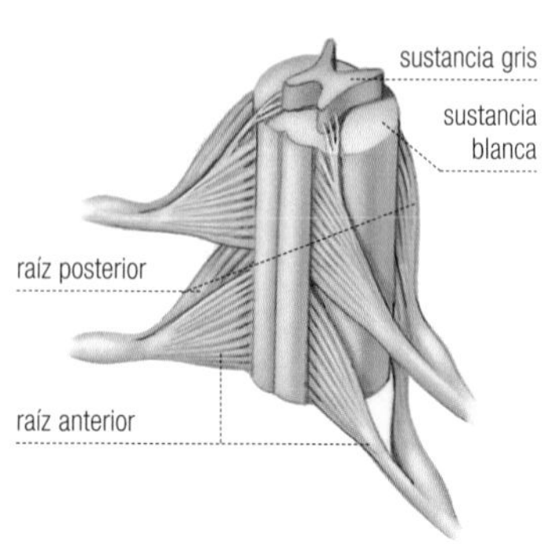

LA MÉDULA ESPINAL Y UN NERVIO RAQUÍDEO

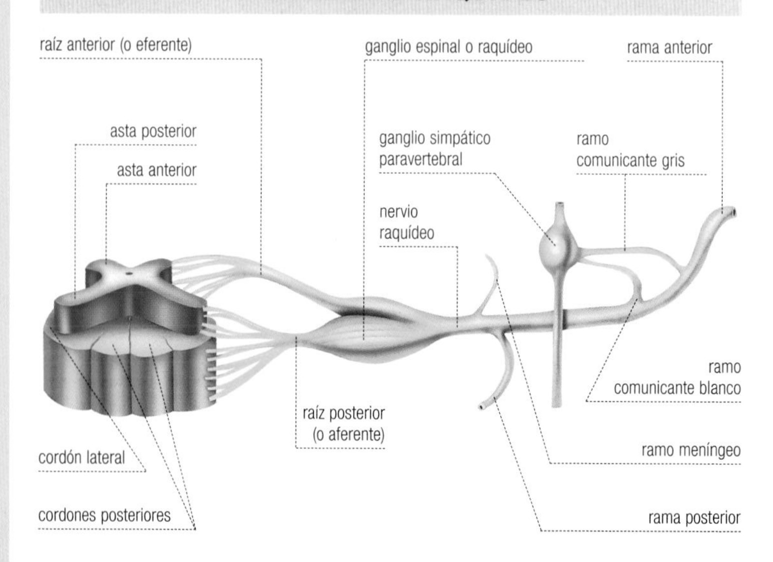

LA MÉDULA ESPINAL CON LOS NERVIOS RAQUÍDEOS

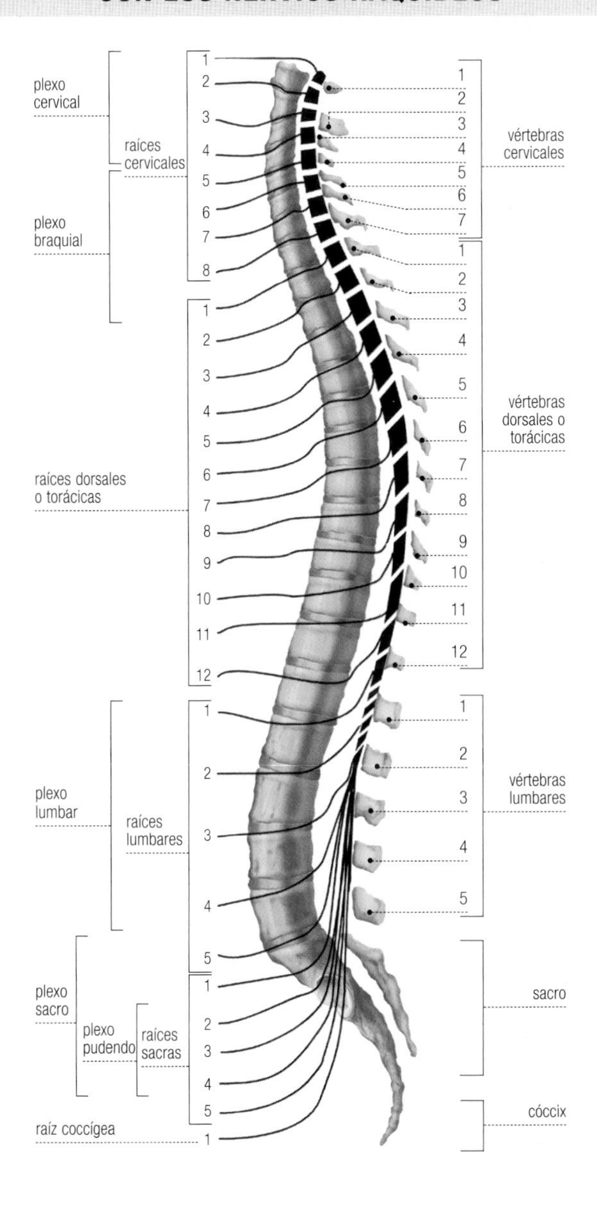

SISTEMA NERVIOSO PERIFÉRICO

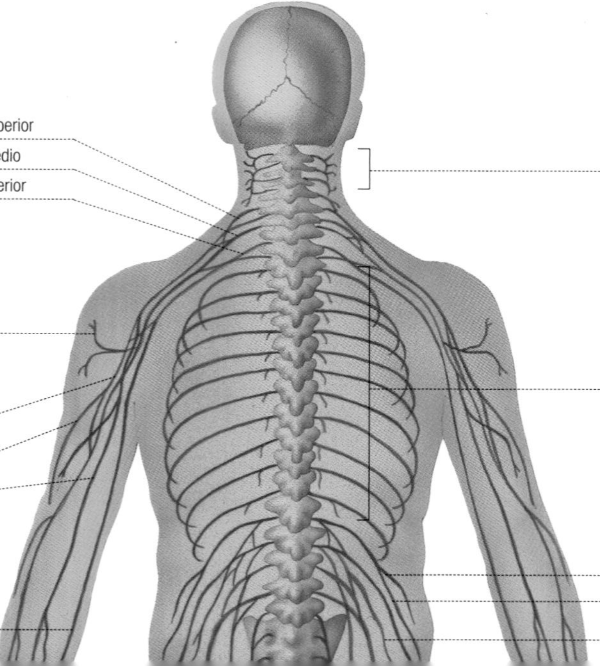

plexo braquial
tronco primario superior
tronco primario medio
tronco primario inferior
plexo cervical
nervio axilar
nervios intercostales
nervio musculocutáneo
nervio cutáneo antebraquial lateral
nervio mediano
nervio iliohipogástrico
nervio ilioinguinal
nervio cubital
nervio genitofemoral

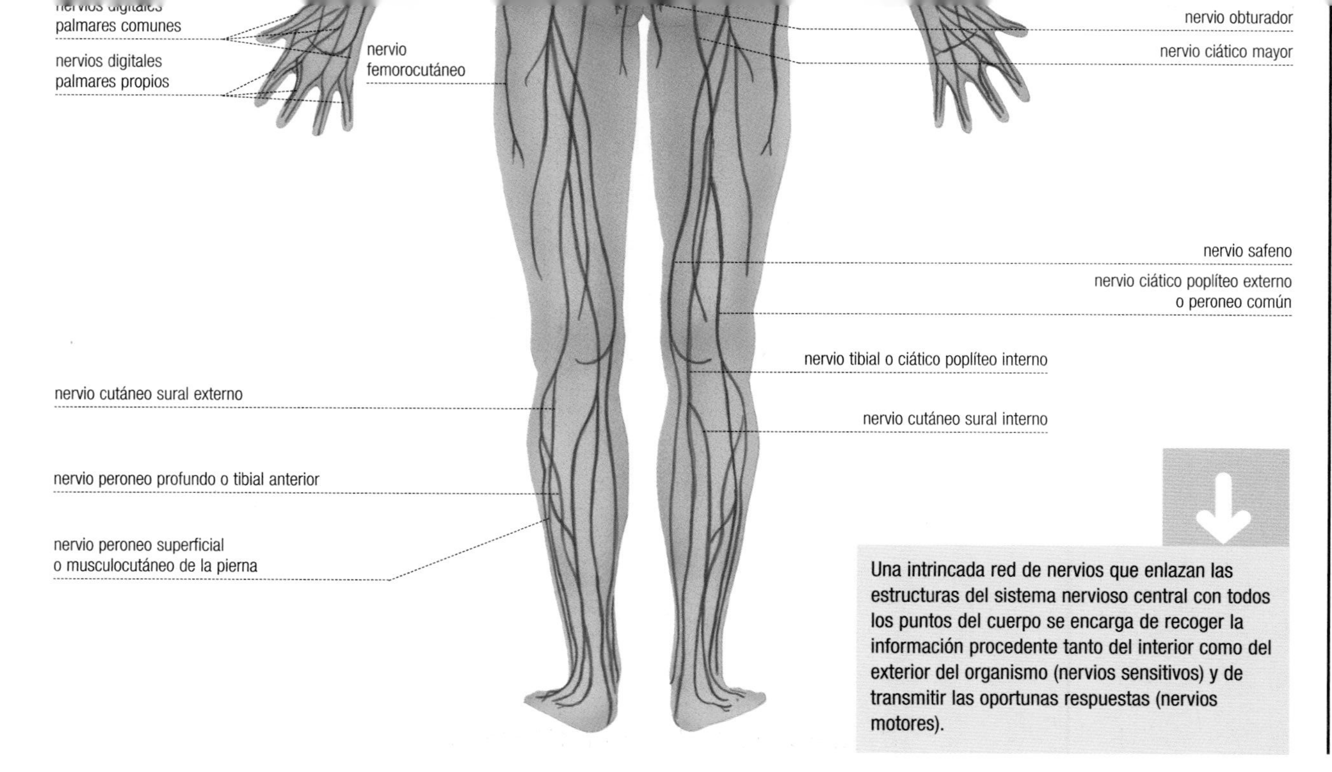

Una intrincada red de nervios que enlazan las estructuras del sistema nervioso central con todos los puntos del cuerpo se encarga de recoger la información procedente tanto del interior como del exterior del organismo (nervios sensitivos) y de transmitir las oportunas respuestas (nervios motores).

La visión es el sentido que mayor información nos proporciona del mundo que nos rodea: los ojos, o globos oculares, captan los **estímulos luminosos** procedentes del exterior y los transforman en señales nerviosas que viajan por vías específicas hasta el cerebro, donde se transforman en **imágenes visuales**.

SECCIÓN DEL GLOBO OCULAR

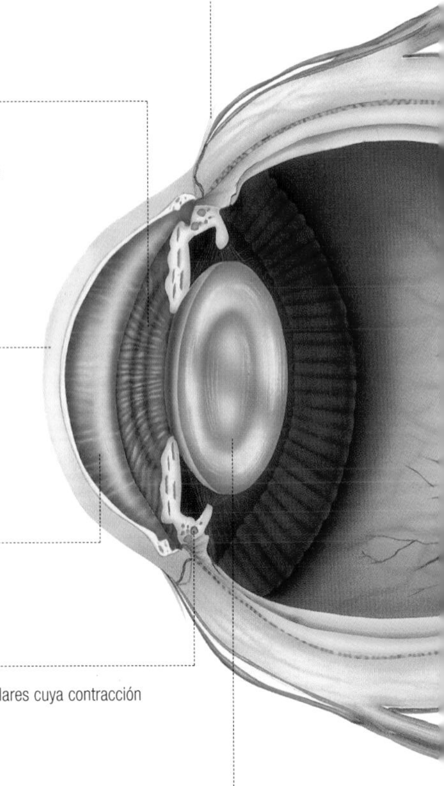

conjuntiva

membrana transparente que tapiza la parte anterior de la esclerótica y la cara interna de los párpados

iris

disco muscular pigmentado en cuyo centro se encuentra un orificio, la pupila, cuyo grado de contracción o dilatación regula el paso de rayos luminosos al fondo del ojo

córnea

disco transparente a través del cual penetran los rayos luminosos al interior del globo ocular

humor acuoso

líquido transparente que ocupa la parte anterior del ojo

cuerpo ciliar

estructura provista de abundantes fibras musculares cuya contracción modifica la curvatura del cristalino

cristalino

cuerpo biconvexo transparente y elástico que funciona como una lente y enfoca los rayos luminosos sobre la retina

PROYECCIÓN DE LAS IMÁGENES EN LA RETINA

Los rayos luminosos procedentes de un objeto externo penetran en el ojo a través de la córnea, atraviesan la pupila y son enfocados por el cristalino sobre la retina, donde se forma una imagen invertida que posteriormente es interpretada por el cerebro en su posición original.

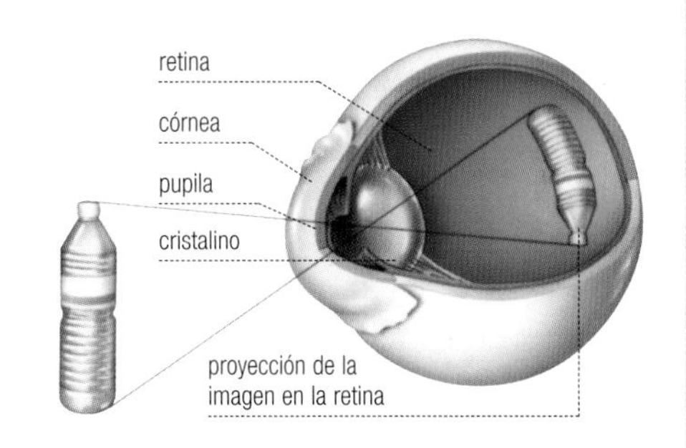

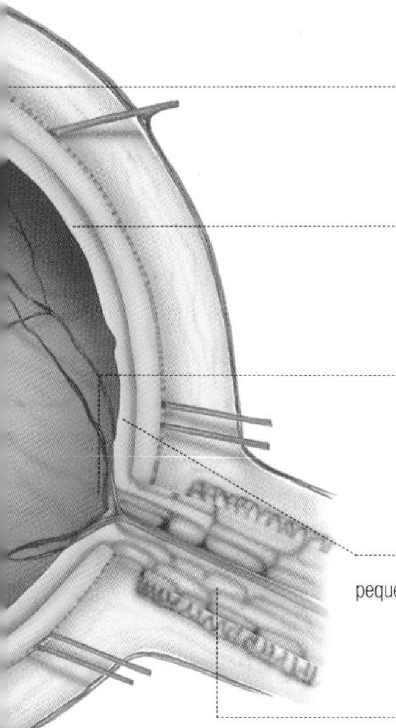

esclerótica

cubierta exterior del globo ocular, resistente y opaca, sólo visible en la parte anterior ("blanco del ojo")

coroides

capa media del globo ocular que contiene abundantes vasos sanguíneos

retina

capa interna del globo ocular que contiene las células fotosensibles y sobre la cual se proyectan los rayos luminosos

papila óptica

zona por donde salen las prolongaciones de las células retinianas que forman el nervio óptico, desprovista de visión (punto ciego)

mácula lútea o mácula amarilla

pequeña zona retiniana de color amarillento que corresponde al área de máxima agudeza visual

nervio óptico

conjunto de fibras nerviosas que llevan las señales generadas en la retina en dirección al cerebro

humor vítreo

masa gelatinosa transparente que ocupa la mayor parte del interior del globo ocular y permite que mantenga su forma

GLOBO OCULAR

VISTO DE LADO, CON LOS MÚSCULOS EXTRÍNSECOS

Los globos oculares pueden moverse en diferentes direcciones de manera coordinada gracias a la acción conjunta de diversos músculos que se insertan en la superficie de la esclerótica.

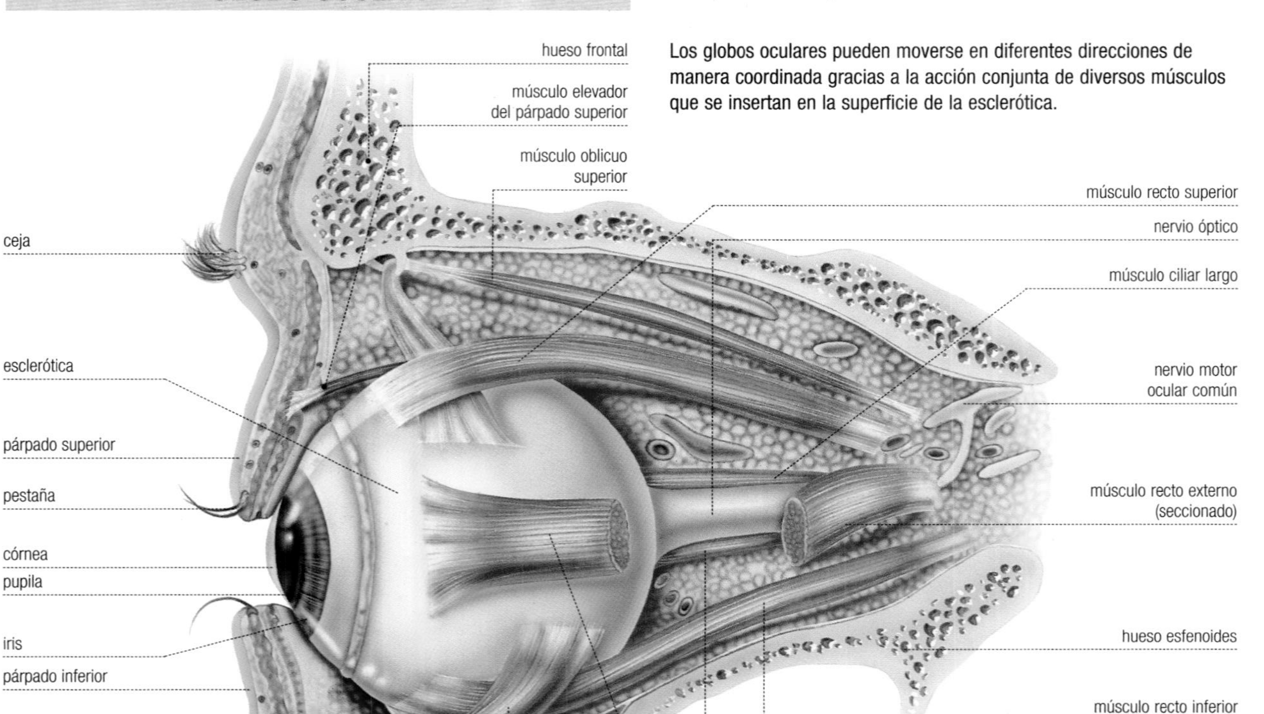

hueso maxilar superior

nervio infraorbitario

músculo oblicuo inferior

APARATO LACRIMAL

Una glándula situada en la parte superior y externa del ojo secreta constantemente un líquido destinado a **lubricar, nutrir** y **proteger** la superficie anterior del globo ocular.

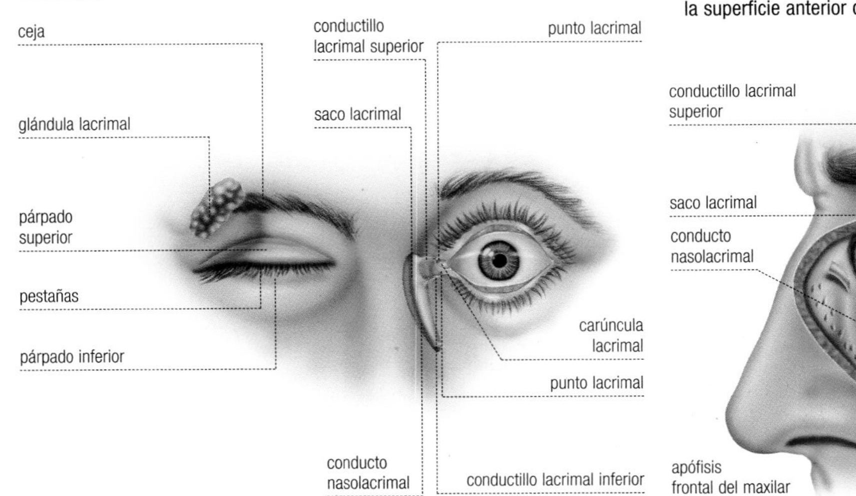

SECCIÓN DE LA CÓRNEA

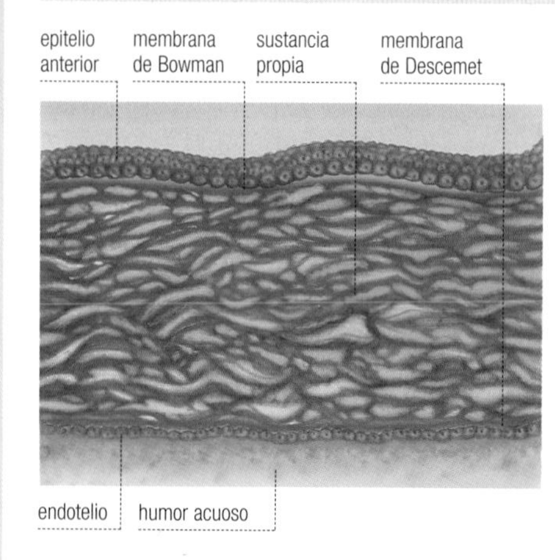

La córnea es un disco cóncavo formado por varias capas cuya principal característica es la **transparencia**, cualidad de la que goza merced a la disposición paralela de las fibras que constituyen su espesor, su elevado contenido en agua y la ausencia de vasos sanguíneos.

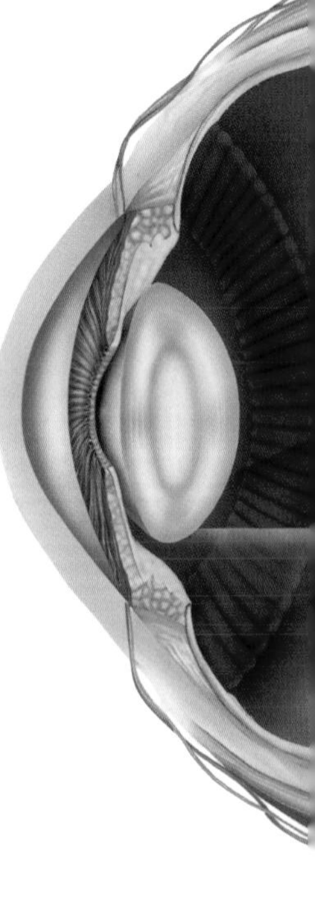

CONJUNTIVA

La conjuntiva es una fina membrana mucosa transparente con **funciones protectoras** que recubre la parte anterior de la esclerótica y se repliega para tapizar la cara interna de los párpados.

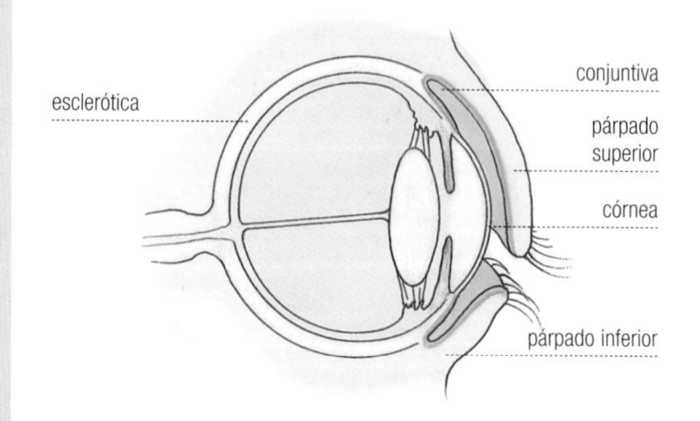

La retina está formada por varios estratos y en su capa más profunda contiene los fotorreceptores encargados de convertir los estímulos luminosos en impulsos nerviosos: los **conos**, que reaccionan en ambientes bien iluminados y reconocen los colores, y los **bastones**, que reaccionan en ambientes poco iluminados y proporcionan una visión en blanco y negro.

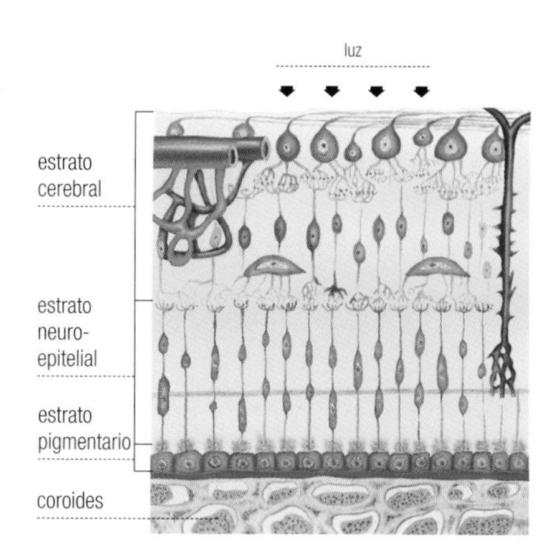

SECCIÓN DE LA RETINA

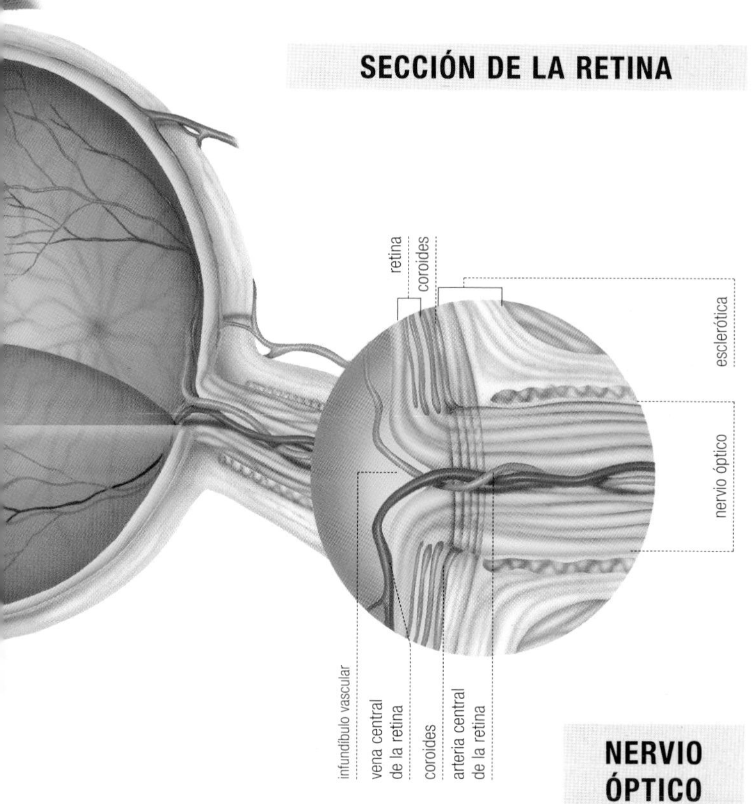

NERVIO ÓPTICO

VÍAS VISUALES

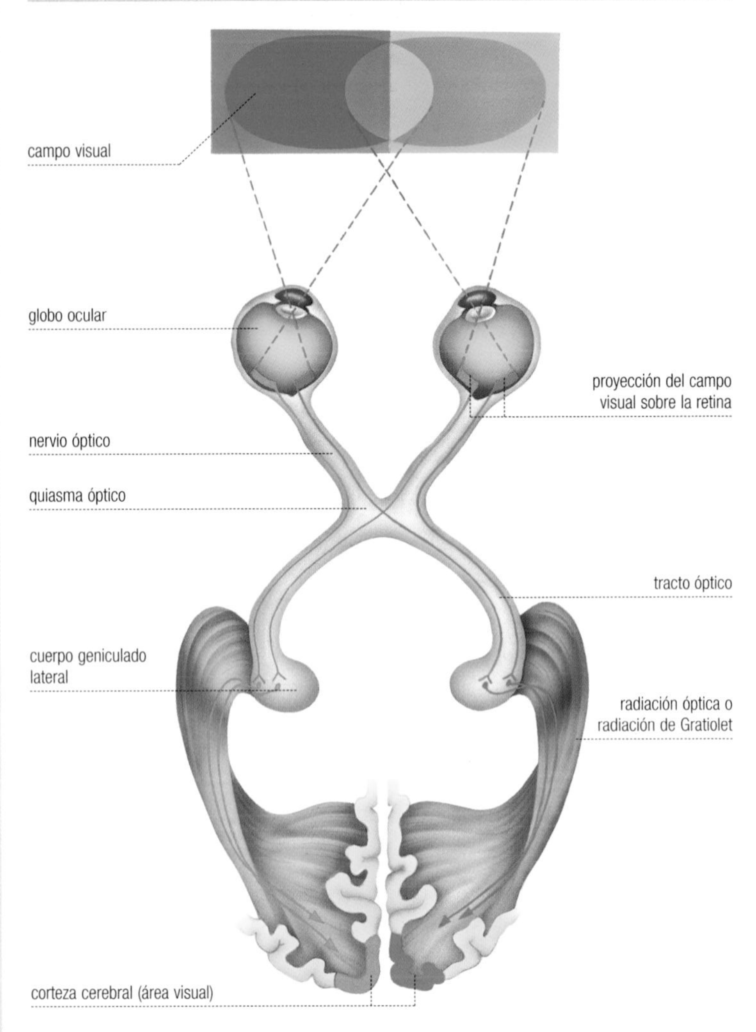

Los **impulsos nerviosos** generados en los fotorreceptores de la retina por el impacto de los rayos luminosos procedentes de los objetos situados en el campo visual siguen un largo camino hasta llegar al cerebro, donde se decodifican y surgen las imágenes visuales. En su trayectoria, parte de las fibras de los nervios ópticos se entrecruzan, de modo que hasta el área visual del lóbulo occipital de los dos hemisferios cerebrales llegan estímulos procedentes de ambos ojos.

PRINCIPALES DEFECTOS DE VISIÓN Y MÉTODOS DE CORRECCIÓN

PRESBICIA (VISTA CANSADA)

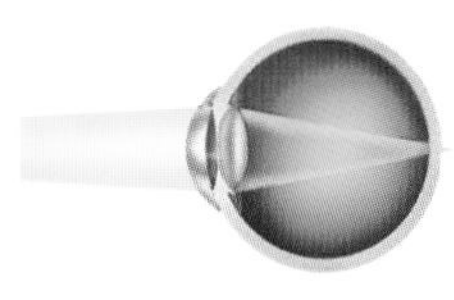

El cristalino ha perdido elasticidad, por lo que no se curva lo suficiente. La imagen de los objetos cercanos se forma detrás de la retina.

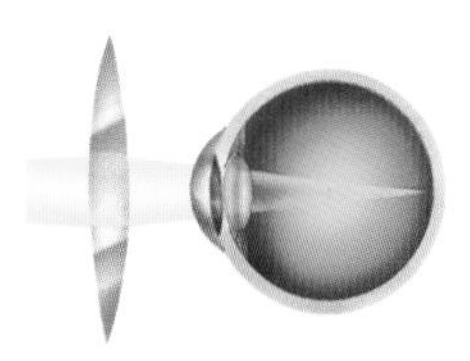

Una lente convergente compensa la falta de adaptación del cristalino.

MIOPÍA

El cristalino funciona bien, pero el globo ocular es demasiado largo.
La imagen de los objetos alejados se forma delante de la retina.

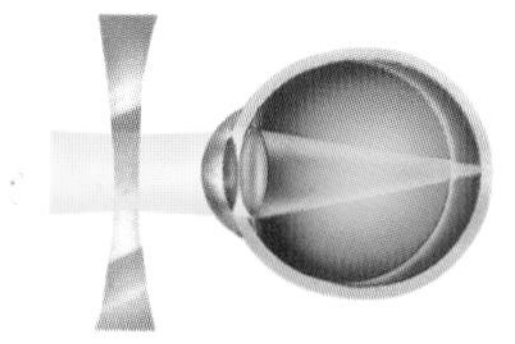

Una lente divergente sitúa la imagen nítida en la retina.

HIPERMETROPÍA

El cristalino funciona bien, pero el globo ocular es demasiado corto.
La imagen de los objetos cercanos se forma detrás de la retina.

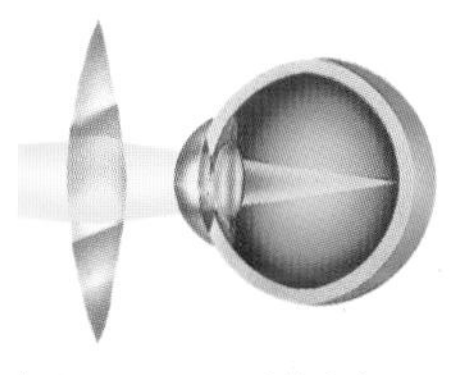

Una lente convergente sitúa la imagen nítida en la retina.

Oído

El oído es un órgano complejo que por una parte se encarga de la audición, sentido mediante el cual percibimos los **sonidos** procedentes del exterior y herramienta fundamental para advertir lo que ocurre en el entorno así como para **comunicarnos** con nuestros semejantes, mientras que por otro lado participa en el mantenimiento del **equilibrio** corporal.

SECCIÓN DEL OÍDO

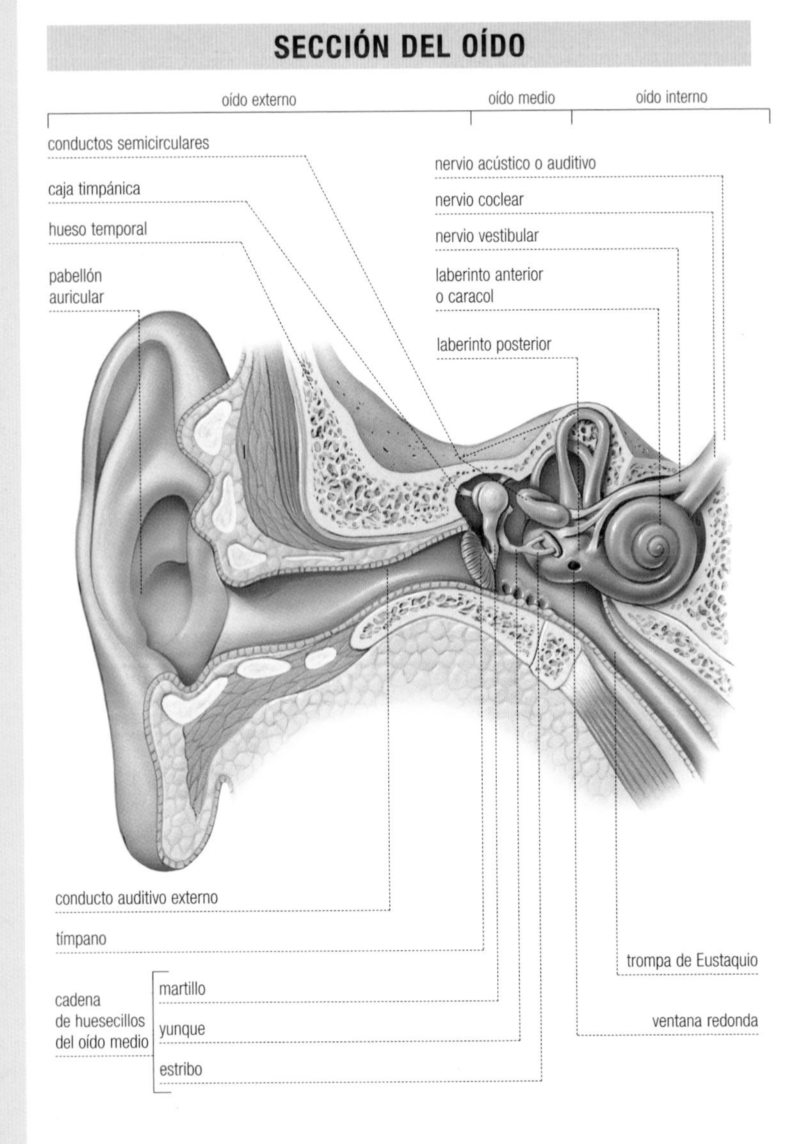

En el oído se distinguen tres sectores:

- el **oído externo**, constituido por la oreja, o pabellón auricular, y el conducto auditivo externo;
- el **oído medio**, situado en una cavidad del hueso temporal denominada caja timpánica, que está separado del oído externo por una membrana vibratoria, el tímpano, y alberga en su interior una cadena de tres huesecillos articulados;
- el **oído interno**, llamado también laberinto, formado a su vez por dos porciones: el laberinto anterior, denominado caracol o cóclea, donde se encuentra el órgano de la audición (órgano de Corti), y el laberinto posterior, o aparato vestibular, donde se generan estímulos que participan en el mantenimiento del equilibrio corporal.

PABELLÓN AURICULAR

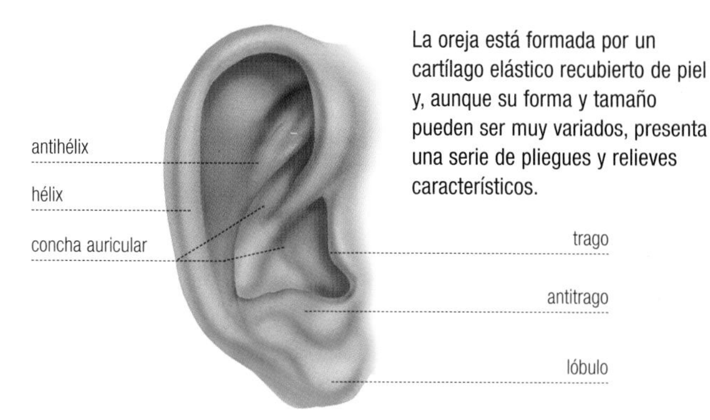

La oreja está formada por un cartílago elástico recubierto de piel y, aunque su forma y tamaño pueden ser muy variados, presenta una serie de pliegues y relieves característicos.

CADENA DE HUESECILLOS DEL OÍDO MEDIO

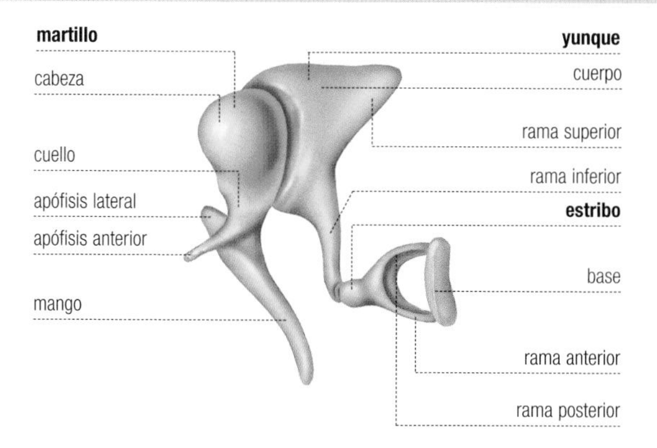

MECANISMO DE LA AUDICIÓN

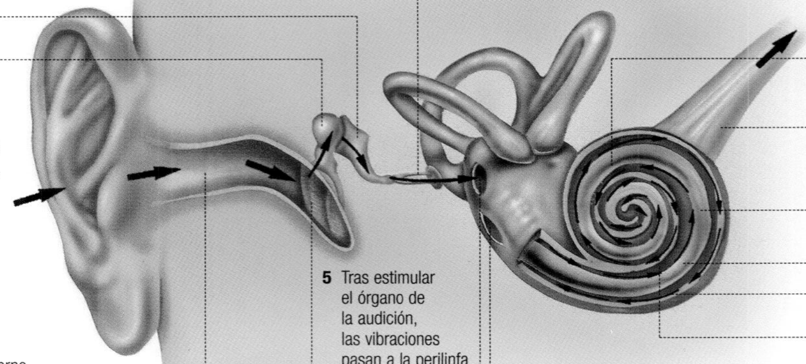

1 Las ondas sonoras llegan, del exterior, a través del conducto auditivo externo, a la membrana del tímpano.

2 Los huesecillos del oído medio (martillo, yunque y estribo) vibran y la base del estribo se mueve, incidiendo en la ventana oval.

3 Las vibraciones de la base del estribo se transmiten a través de la ventana oval a la perilinfa de la rampa vestibular del caracol.

4 Las vibraciones estimulan el órgano de la audición (órgano de Corti) y generan los impulsos nerviosos que llegan al cerebro a través del nervio coclear.

5 Tras estimular el órgano de la audición, las vibraciones pasan a la perilinfa de la rampa timpánica y se desvanecen en la ventana redonda.

estribo
yunque
martillo
conducto auditivo externo
membrana del tímpano
caracol
nervio coclear
laberinto membranoso
conducto coclear
rampa timpánica
rampa vestibular
ventana redonda
ventana oval

LABERINTO

SECCIÓN TRANSVERSAL DEL CARACOL

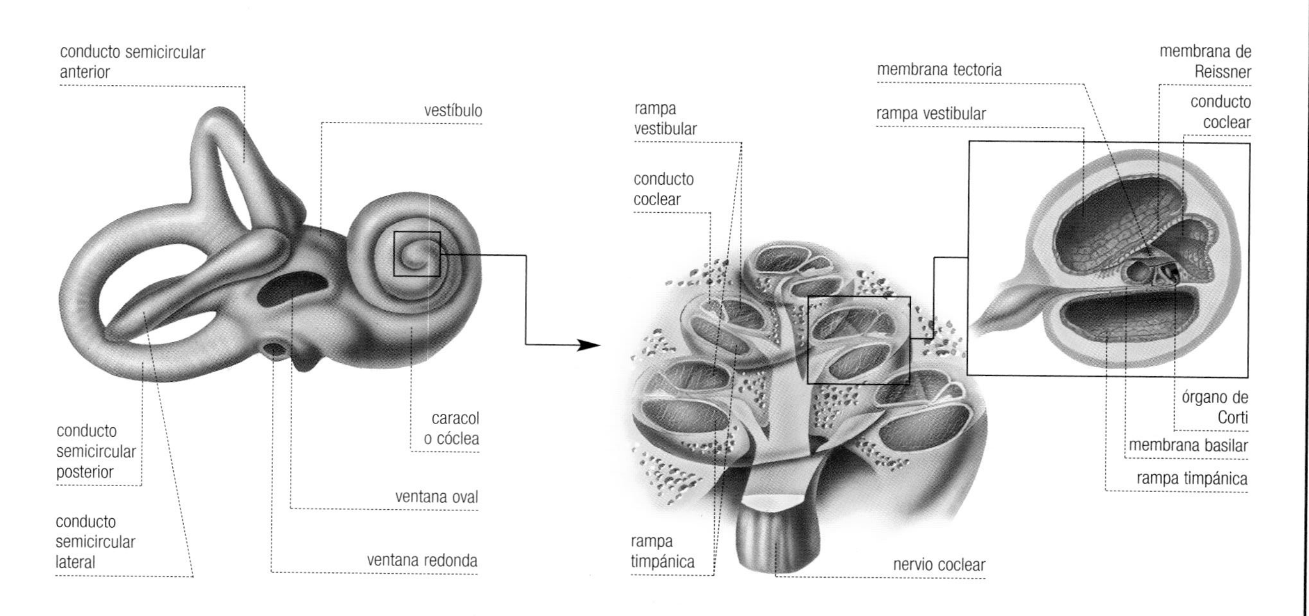

El olfato es un sentido que tiene diversas funciones: participa en el proceso digestivo, puesto que el **olor** agradable de los alimentos estimula las secreciones salivales y gástricas, nos **advierte** sobre la presencia de gases tóxicos que huelen mal y nos proporciona **sensaciones** tanto placenteras como desagradables que influyen en nuestra vida afectiva.

LOCALIZACIÓN DE LA MEMBRANA OLFATORIA Y EL BULBO OLFATORIO

SECCIÓN DE LA MEMBRANA OLFATORIA

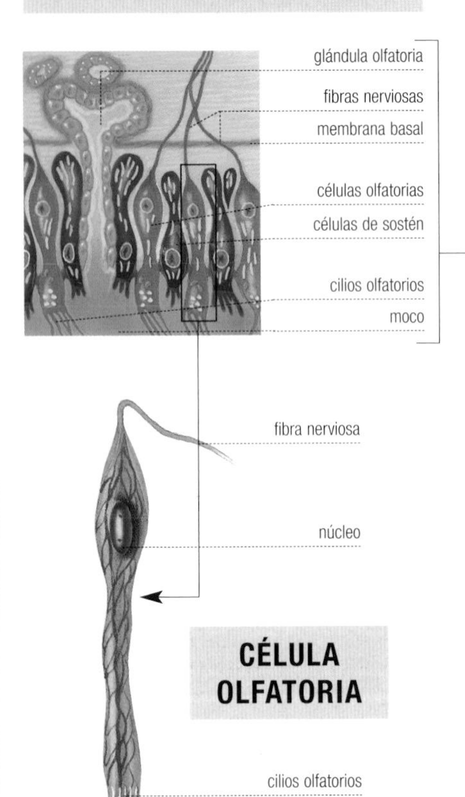

En la mucosa que tapiza el techo de las fosas nasales hay una zona de unos 2,5 cm^2, la membrana olfatoria, donde se encuentran repartidas numerosas células especializadas en la detección de las **sustancias olorosas volátiles** contenidas en el aire que inspiramos.

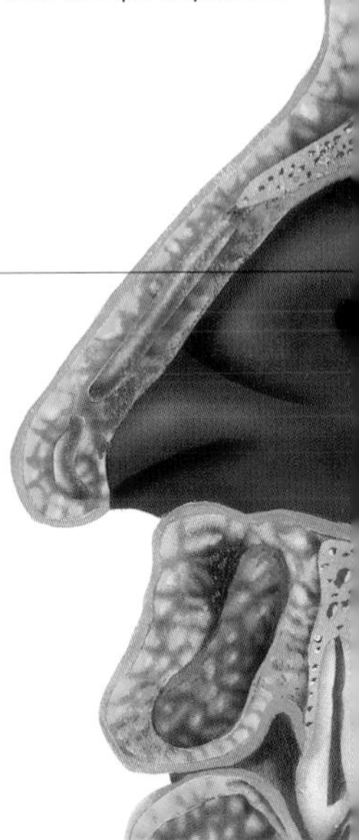

BULBO OLFATORIO

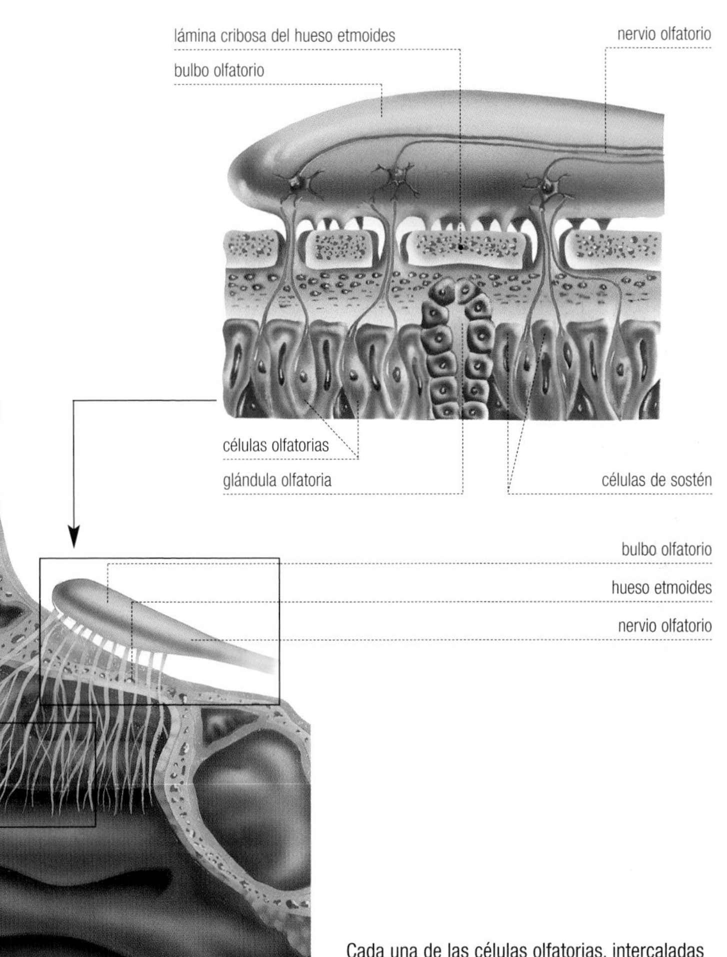

Cada una de las células olfatorias, intercaladas entre otras de soporte y pequeñas glándulas productoras de moco, cuenta en su extremo libre con unos diminutos **cilios** que reaccionan al contacto con las sustancias olorosas y generan unos **impulsos** que se extienden por una delgada fibra nerviosa que surge por el otro extremo y, tras atravesar el hueso etmoides, alcanza el bulbo olfatorio.

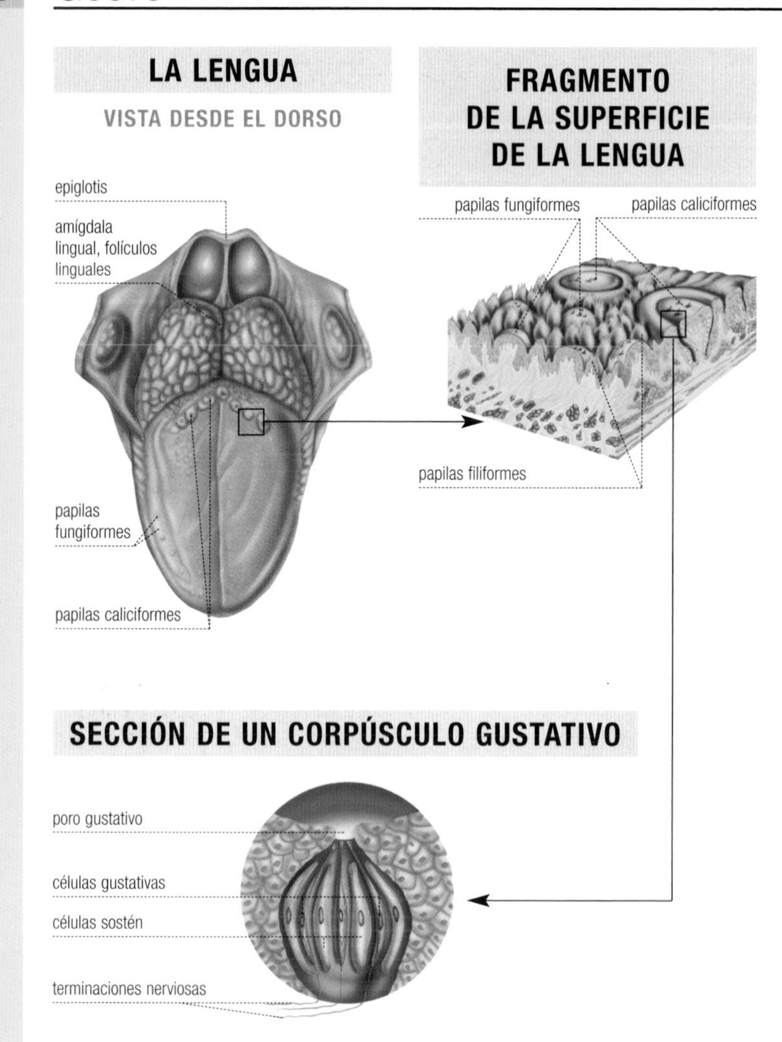

Distribuidas por la superficie de la lengua hay miles de papilas gustativas que albergan auténticos receptores sensoriales: los corpúsculos o botones gustativos. Cada uno de estos corpúsculos, de forma ovoide, contiene de cinco a veinte células sensoriales, con sus correspondientes terminaciones nerviosas, así como otras de sostén, todas situadas alrededor de una cavidad central, el poro gustativo. Cuando las sustancias químicas disueltas en la saliva llegan hasta el poro gustativo, las células sensoriales resultan estimuladas y se generan unos impulsos que acaban convirtiéndose en las sensaciones gustativas.

ZONAS DE PERCEPCIÓN DE LOS DISTINTOS GUSTOS

(en amarillo)
zona de percepción
del amargo

(en azul)
zona de percepción
del ácido

(en verde)
zona de percepción
del salado

(en rojo)
zona de percepción
del dulce

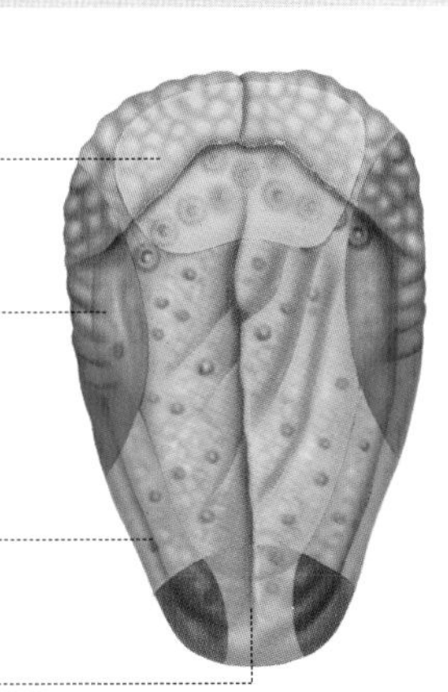

TIPOS DE PAPILAS GUSTATIVAS

Hay diferentes tipos de papilas gustativas y todas perciben las cuatro sensaciones básicas: **dulce**, **salado**, **ácido** y **amargo**. Sin embargo, las diversas papilas, distribuidas de forma desigual en la superficie lingual, responden con mayor o menor intensidad a los distintos estímulos, por lo cual hay zonas de la lengua que captan mejor un determinado gusto.

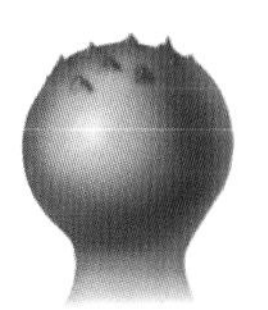

papila fungiforme

papila caliciforme

papila filiforme

papila coroliforme

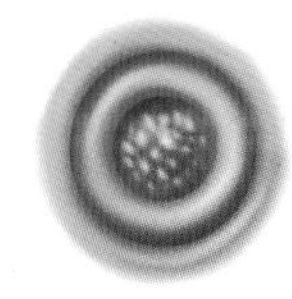

papila en botón

La piel constituye el **revestimiento** de nuestro cuerpo y dispone de una rica inervación sensitiva capaz de registrar una amplia variedad de **estímulos** externos y proporcionarnos una valiosa **información** sobre el mundo que nos rodea: cuenta para ello con multitud de receptores encargados de detectar oportunamente los estímulos táctiles, térmicos (frío, calor) y dolorosos.

SECCIÓN DE LA PIEL

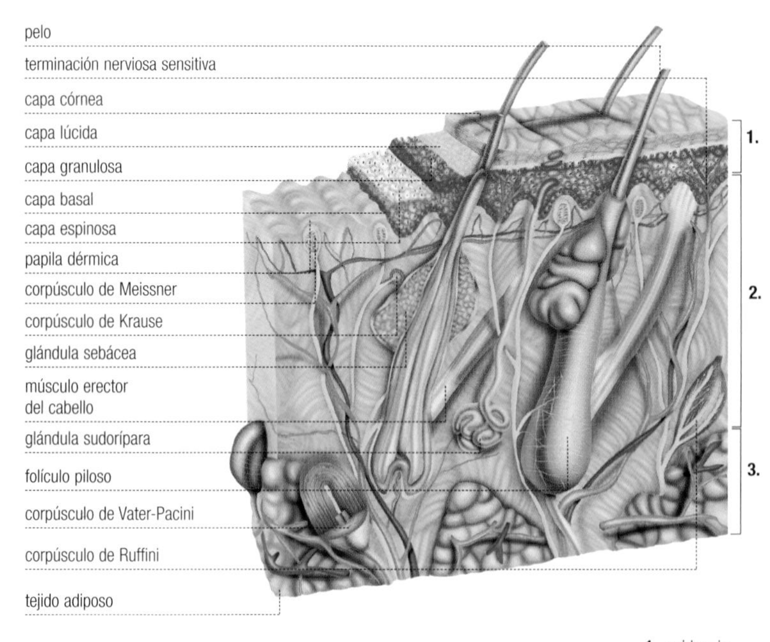

1. epidermis
2. dermis
3. hipodermis

RECEPTORES SENSORIALES

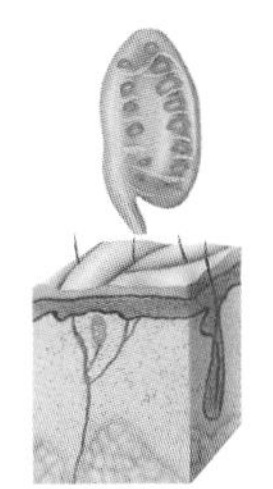

receptor táctil
(corpúsculo de Meissner)

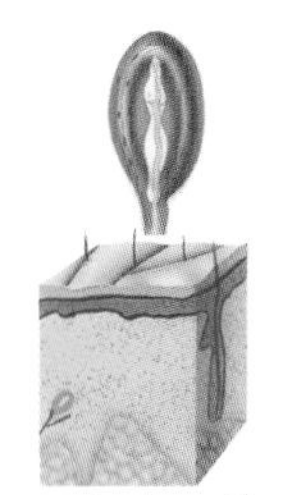

receptor de presión
y vibración
(corpúsculo de Vater-Pacini)

receptor de calor
(corpúsculo de Ruffini)

receptor de frío
(corpúsculo de Krause)

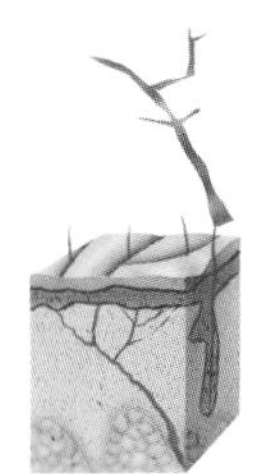

receptor de dolor
(terminación nerviosa sensitiva)

Distribuidos por toda la superficie de la piel, aunque con una desigual concentración en las distintas regiones del cuerpo, hay una multitud de receptores sensoriales que responden a diversos estímulos y envían la información al sistema nervioso para que sea oportunamente interpretada.

La piel es una **membrana** resistente y flexible que recubre todo el cuerpo y **protege** el organismo de agentes agresivos del exterior, participa en funciones tan relevantes como la **regulación de la temperatura corporal** y actúa como un auténtico **órgano sensorial**. Está formada por tres capas superpuestas:

- la **epidermis**, la capa más superficial y en contacto directo con el exterior;
- la **dermis**, subyacente a la anterior y formada esencialmente por elementos de tejido conjuntivo;
- la **hipodermis**, o tejido celular subcutáneo, la capa más profunda, compuesta sobre todo por un tejido adiposo (grasa) que aísla al cuerpo del frío, amortigua los golpes y sirve como principal reserva energética del organismo.

ACTO REFLEJO FRENTE A UN ESTÍMULO DOLOROSO

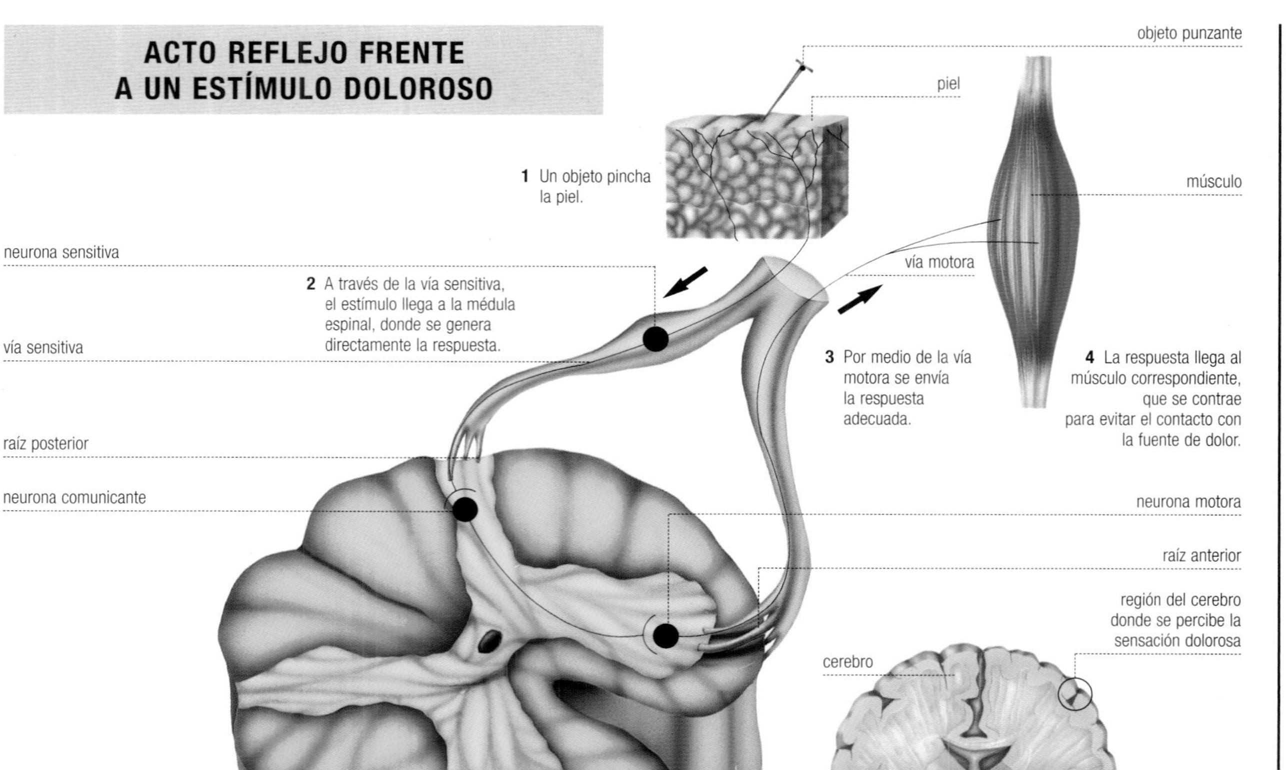

dolorosa llega al cerebro, ya se habrá generado la respuesta oportuna.

SECCIÓN DE UN FOLÍCULO PILOSO Y RAÍZ DE UN PELO

SECCIÓN DE UNA UÑA

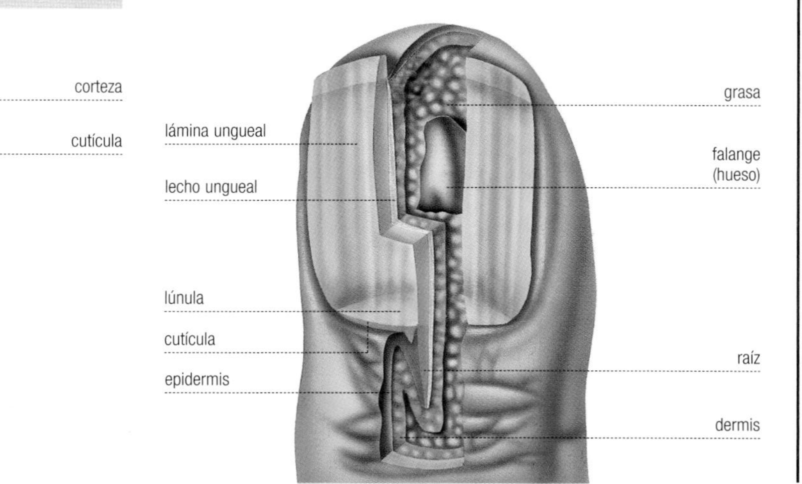

El aparato urinario está formado por diversos órganos cuya misión consiste en **filtrar la sangre** para regular su composición y depurarla de desechos tóxicos, a la par que se encargan de eliminar el excedente de agua y los residuos tóxicos al exterior del organismo a través de la orina.

CIRCULACIÓN RENAL

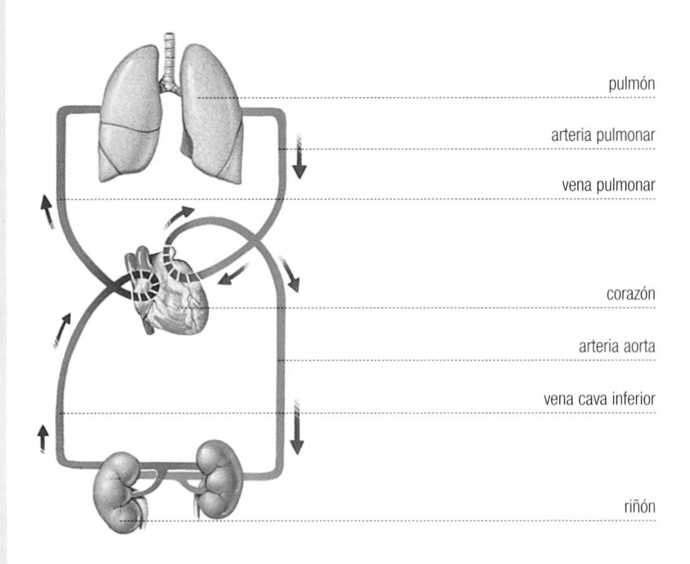

La sangre que circula por el organismo pasa una y otra vez por los riñones: es fundamental que estos órganos **eliminen** a través de la orina los **residuos tóxicos** que constantemente produce el metabolismo celular de todos los tejidos. Por ello, la cantidad de sangre que llega hasta los riñones en una determinada unidad de tiempo es muy elevada, representa en torno al 20 % del volumen total impulsado por el corazón: cada minuto circulan por los riñones alrededor de 1,2 l de sangre.

COMPONENTES DEL APARATO URINARIO

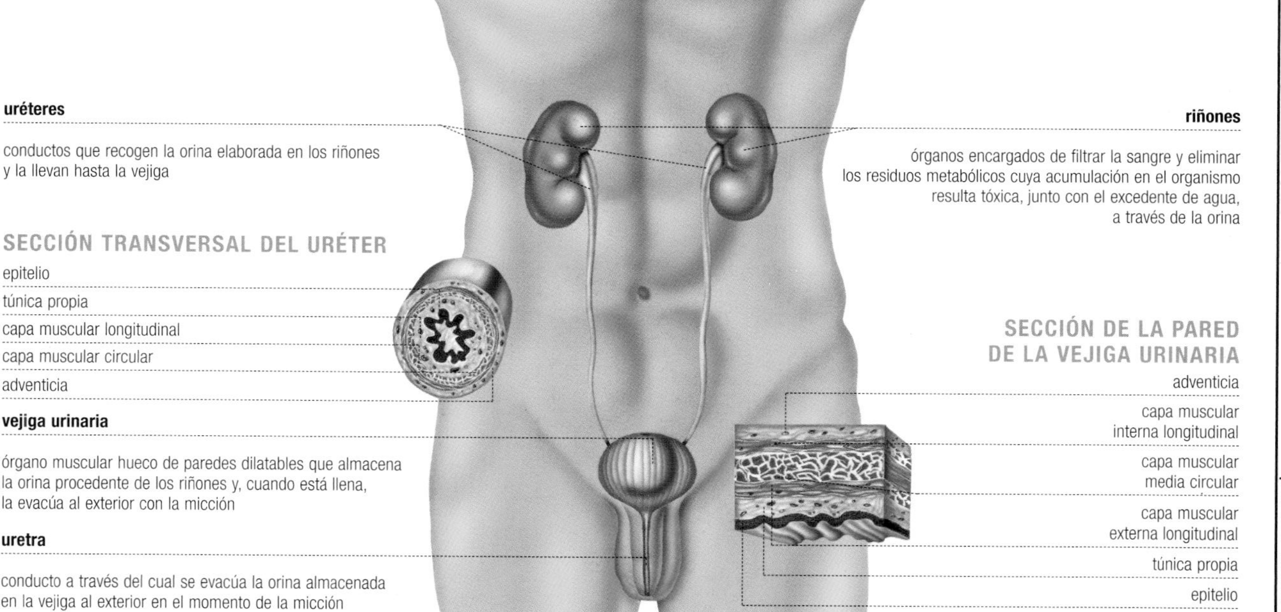

RIÑONES VISTOS DE FRENTE CON SUS VASOS SANGUÍNEOS

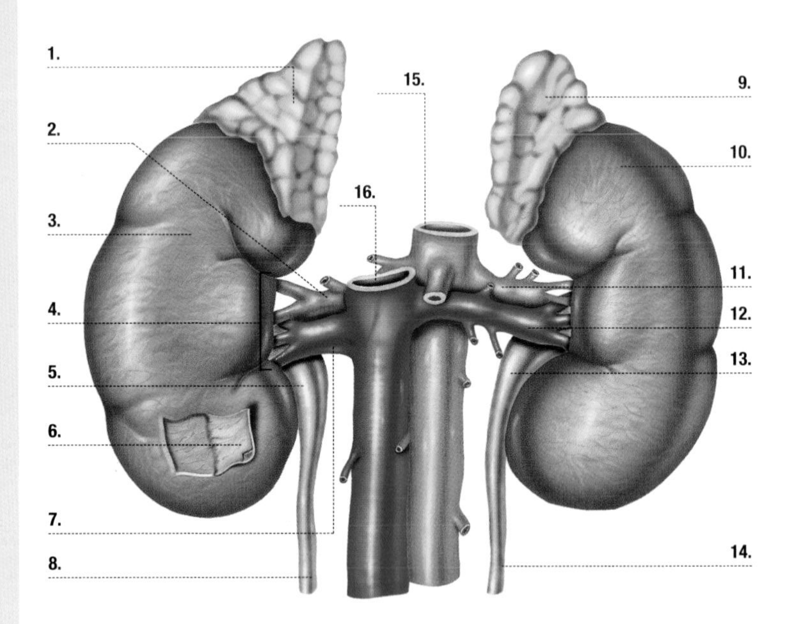

1. glándula suprarrenal
2. arteria renal derecha
3. riñón derecho
4. hilio del riñón
5. pelvis renal
6. cápsula renal (despegada)
7. vena renal derecha
8. uréter derecho

9. glándula suprarrenal
10. riñón izquierdo
11. arteria renal izquierda
12. vena renal izquierda
13. pelvis renal
14. uréter izquierdo
15. aorta abdominal
16. vena cava inferior

SECCIÓN DE UN RIÑÓN

(IZQUIERDO)

El riñón, con su típica forma de habichuela, está cubierto por una cápsula fibrosa y en su interior se distinguen dos partes: una zona periférica de color amarillento, la **corteza renal**, y otra interna de color rojo oscuro, la **médula renal**, en la que hay unas 12-15 estructuras triangulares de forma cónica, llamadas **pirámides de Malpighi**, separadas por unas prolongaciones de la corteza que se internan en la médula, las **columnas de Bertin**. Las pirámides tienen su base orientada hacia la periferia y el vértice apunta a la parte central del riñón, que es hueca y se conoce como **seno renal**. En la punta de cada pirámide, o **papila**, hay unos diminutos orificios por donde la orina elaborada en el riñón pasa a unos delgados tubos denominados **cálices menores**, que desembocan en otros de mayor calibre, los **cálices mayores**; éstos confluyen para formar una cavidad con forma de embudo, la **pelvis renal**, que sale por el borde interno del riñón y se continúa con el uréter.

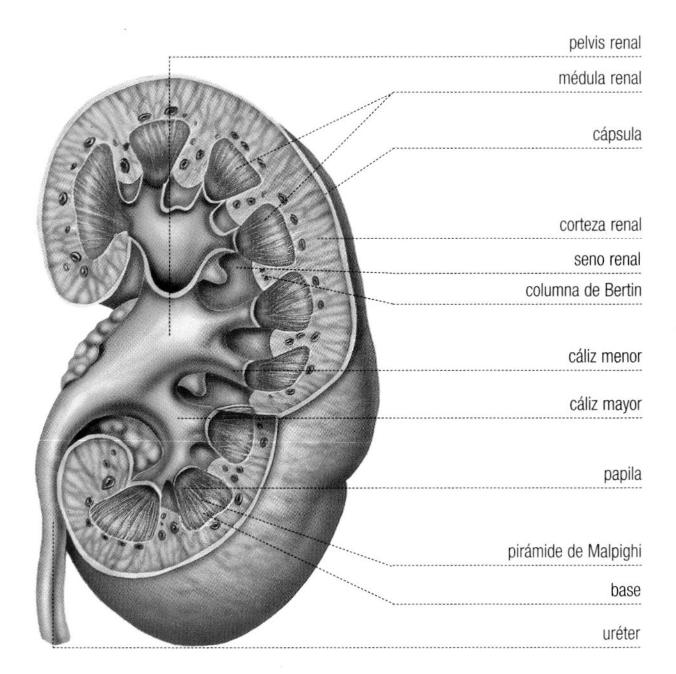

VASCULARIZACIÓN DEL RIÑÓN

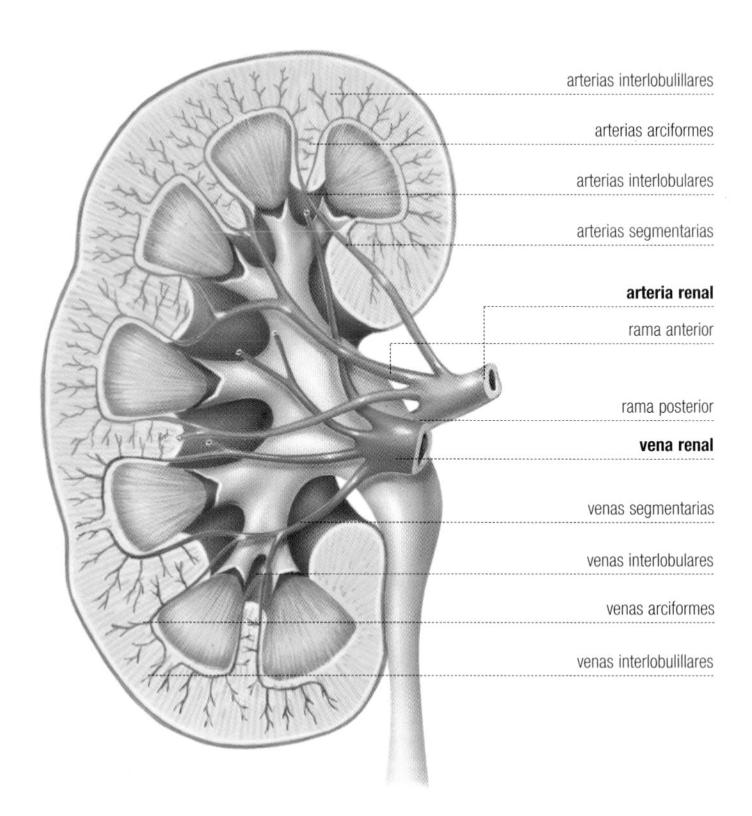

En el interior del riñón, la arteria renal se subdivide repetidas veces, de modo que sólo llega una pequeña arteriola a cada una de las unidades funcionales del órgano, las nefronas. Cada riñón cuenta con más de un millón de **nefronas**, cada una de las cuales está formada por dos partes: un corpúsculo donde se **filtra la sangre** y un túbulo donde se **elabora la orina**. Al corpúsculo llega una arteriola aferente y se divide en numerosos capilares que constituyen un auténtico ovillo, denominado glomérulo, rodeado por una membrana doble en forma de embudo, la cápsula de Bowman: la sangre circula por los capilares del glomérulo y a través de diminutos poros de sus paredes se filtran líquidos y pequeñas moléculas. La cápsula de Bowman recoge el filtrado y lo aboca al túbulo renal, un conducto con diferentes segmentos en cuyo recorrido la mayor parte del agua y algunas sustancias útiles se reabsorben mientras que otras nocivas que no han sido antes filtradas se eliminan, formándose la orina.

ESQUEMA DE UNA NEFRONA

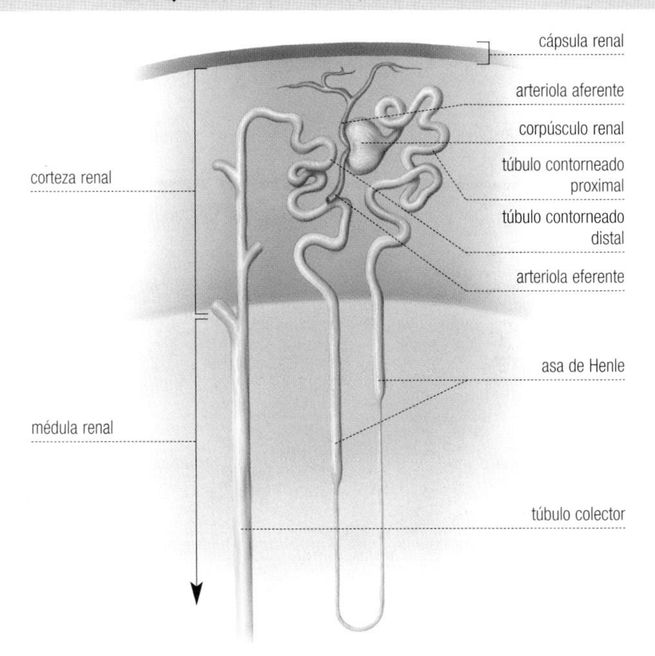

Los riñones tienen una extraordinaria capacidad funcional: si enferman, basta con que se mantenga indemne el 25-30 % de las nefronas para garantizar la adecuada formación de orina.

PARTES DE UNA NEFRONA

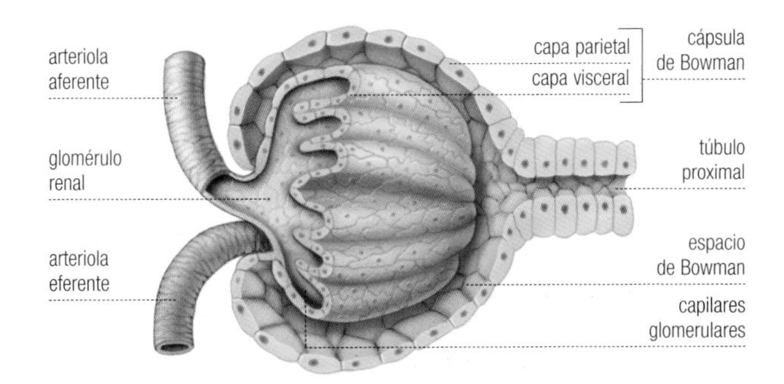

VEJIGA URINARIA

VISTA DESDE ATRÁS

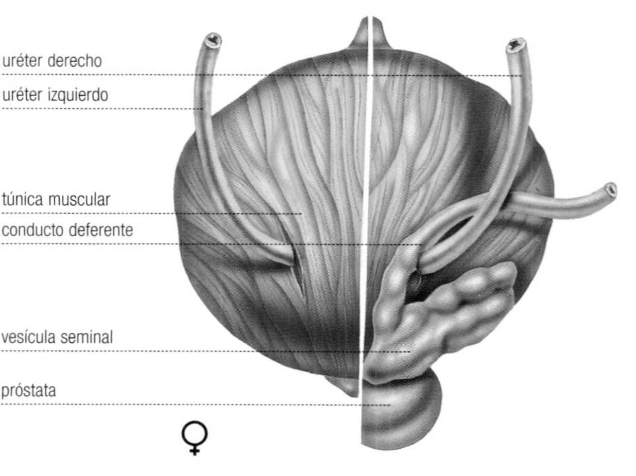

SECCIÓN DE LA VEJIGA URINARIA MASCULINA

VISTA DE FRENTE

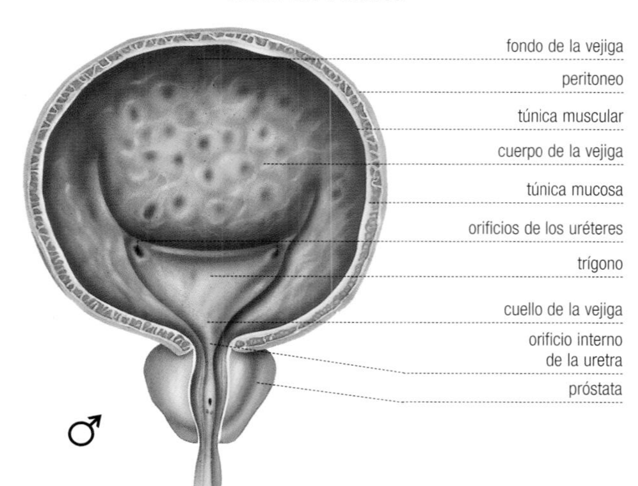

VEJIGA URINARIA VACÍA Y VEJIGA URINARIA LLENA

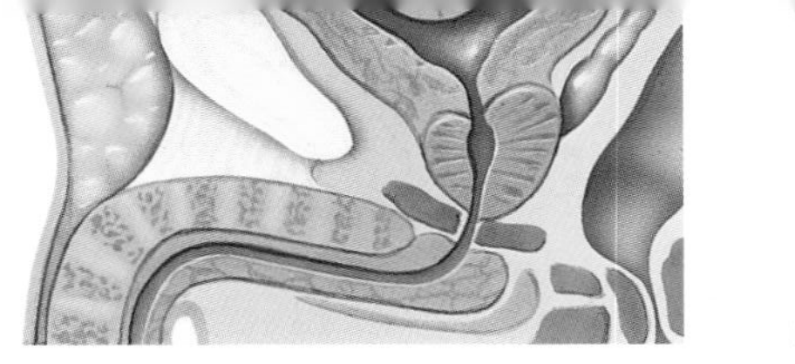

VEJIGA VACÍA

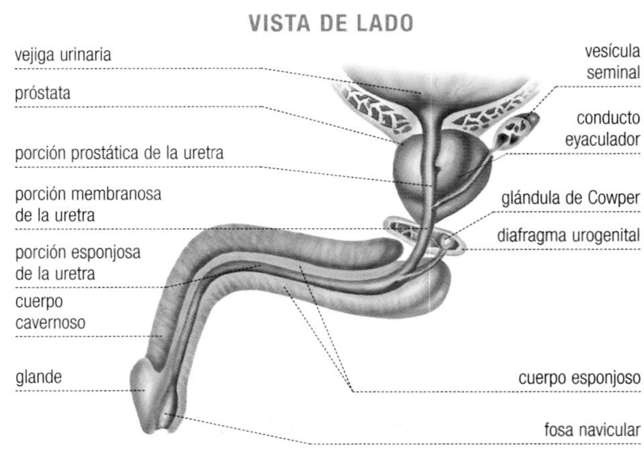

VEJIGA LLENA

de la cavidad pelviana y es semejante en ambos sexos, aunque las relaciones con los órganos adyacentes son diferentes en el hombre y la mujer. Cuando está vacía, tiene una forma triangular, pero a medida que se llena de orina adopta una forma ovoide o esférica: en la persona adulta llega a albergar hasta 350 ml de orina.

URETRA MASCULINA

VISTA DE LADO

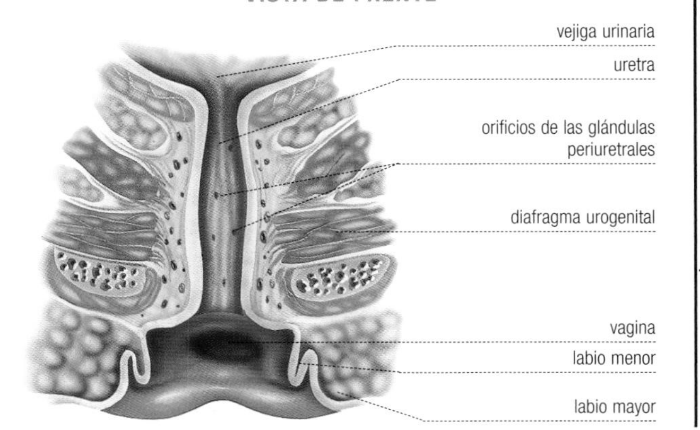

SECCIÓN DE LA URETRA FEMENINA

VISTA DE FRENTE

El aparato reproductor masculino está integrado por un conjunto de órganos genitales, unos externos y otros internos, que permiten al hombre participar en el proceso de la **procreación** y están perfectamente adaptados para que pueda desarrollar de manera efectiva su **actividad sexual**.

GENITALES MASCULINOS EXTERNOS

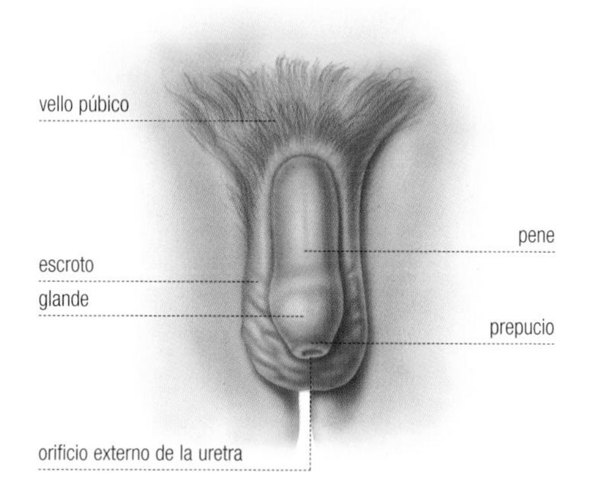

SITUACIÓN DE LOS ÓRGANOS GENITALES MASCULINOS

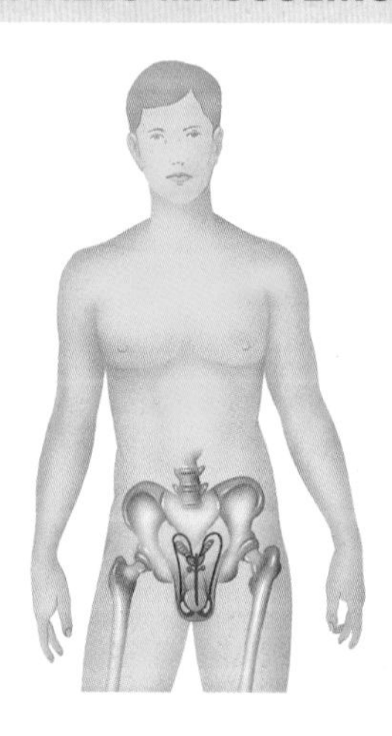

ÓRGANOS GENITALES MASCULINOS

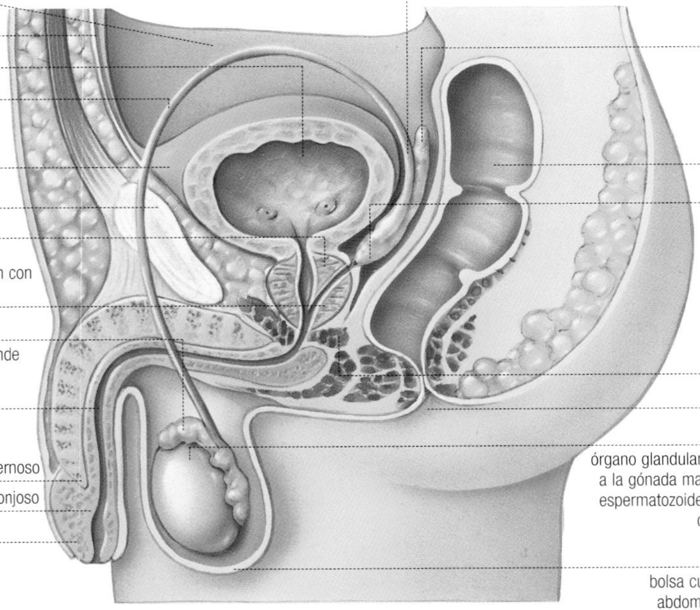

cavidad abdominal

peritoneo

vejiga urinaria

conducto deferente

conducto encargado del transporte de los espermatozoides desde el epidídimo en dirección al exterior

sínfisis del pubis

próstata

glándula con forma de castaña encargada de producir una secreción constituyente del semen con elementos nutritivos para los espermatozoides

epidídimo

estructura tubular situada sobre el testículo donde se almacenan y maduran los espermatozoides

uretra

conducto por donde se expulsa el semen en el momento de la eyaculación

pene

órgano cilíndrico provisto de cuerpos eréctiles cuya congestión hace que aumente de tamaño y consistencia, condición indispensable para realizar la cópula

cuerpo cavernoso

cuerpo esponjoso

glande

ampolla del conducto deferente

dilatación de la parte final del conducto deferente donde se almacenan los espermatozoides

vesícula seminal

pequeña glandula tubular que produce una secreción viscosa amarillenta constituyente del líquido seminal

recto

conducto eyaculador

tubo que recibe los espermatozoides procedentes del conducto deferente así como las secreciones de la vesícula seminal y, tras atravesar la próstata, desemboca en la uretra

glándula de Cowper

ano

testículo

órgano glandular de forma ovoide correspondiente a la gónada masculina, sede de la producción de espermatozoides y responsable de la elaboración de la hormona sexual testosterona

escroto

bolsa cutánea situada fuera de la cavidad abdominal donde se alojan los testículos

PENE

El pene es un órgano capaz de aumentar notoriamente sus dimensiones y consistencia al entrar en estado de erección gracias a la presencia en su interior de unos cuerpos cilíndricos que, ante determinados estímulos, se rellenan de sangre: los dos **cuerpos cavernosos**, que son simétricos y están situados uno junto al otro en la parte superior del cuerpo del pene, y el **cuerpo esponjoso**, que está situado en el centro y por debajo de los anteriores, atravesado en toda su longitud por la uretra.

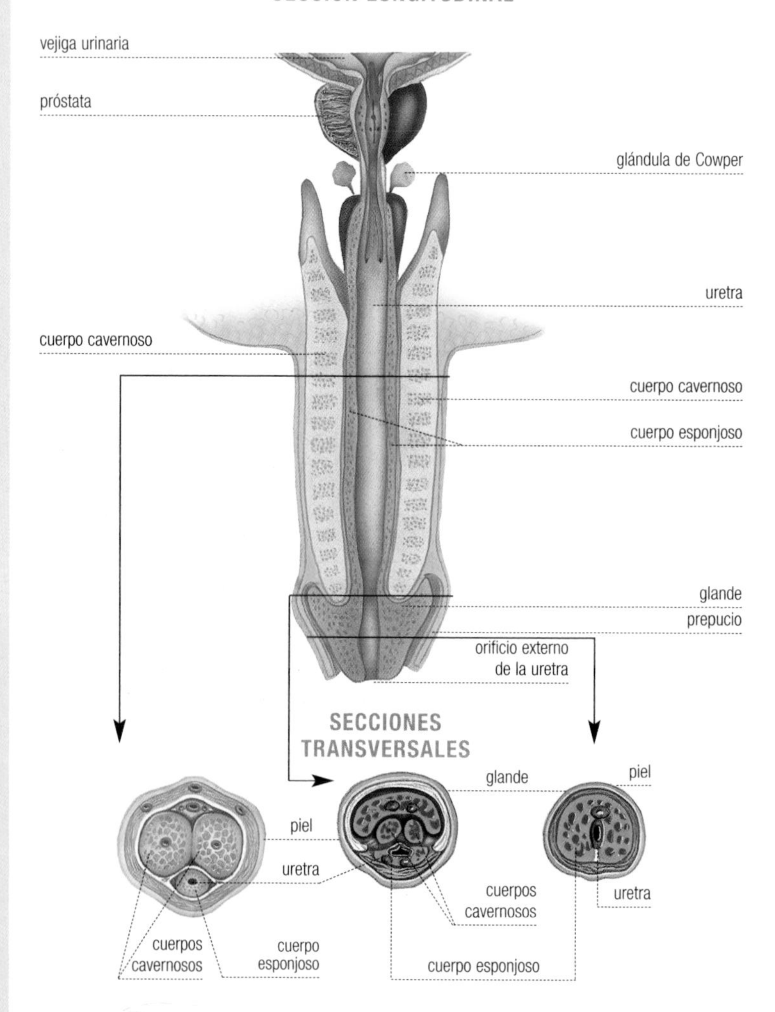

TESTÍCULO Y EPIDÍDIMO

SECCIÓN

Cada testículo se encuentra rodeado por una membrana fibrosa denominada **túnica albugínea** y su interior está dividido en varios lobulillos separados por tabiques de tejido conjuntivo que encierra un número variable de **túbulos seminíferos**, delgados conductos donde se producen los espermatozoides y que confluyen entre sí para formar una tupida red de la cual surgen unos canales más amplios, los **conductos eferentes**, que desembocan en el epidídimo.

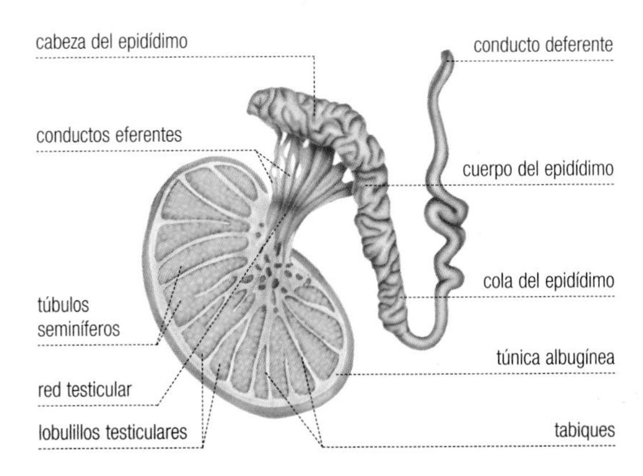

PRÓSTATA

La próstata es una glándula situada por debajo de la vejiga urinaria que está atravesada en su centro por la uretra y en su parte posterior por los conductos eyaculadores que se dirigen a la misma. Está formada por multitud de estructuras tubulares cuyas paredes producen una **secreción constituyente del semen**: los diversos túbulos confluyen entre sí y forman una veintena de conductos que desembocan a través de sendas aberturas en la uretra, dentro de la cual abocan en el momento previo a la eyaculación la secreción prostática a la par que los conductos eyaculadores hacen lo propio con el líquido procedente de las vesículas seminales y los espermatozoides provenientes de los testículos.

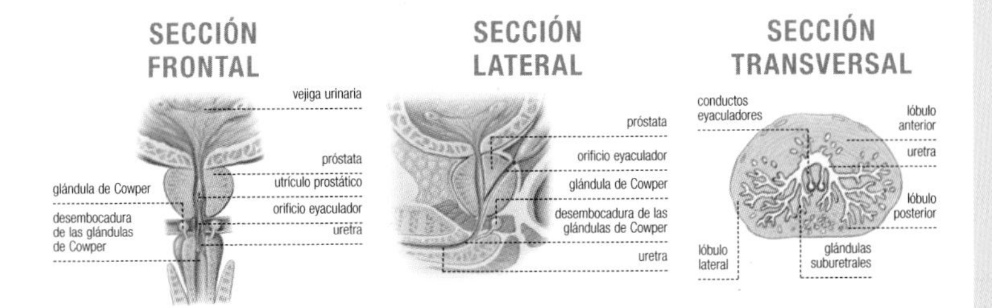

El aparato reproductor femenino está integrado por un conjunto de órganos genitales que permiten a la mujer participar en el proceso de la **procreación** y están perfectamente adaptados para que pueda desarrollar su **actividad sexual**. A ellos se suman las mamas, glándulas responsables de la producción de la leche materna que constituye el alimento idóneo del recién nacido.

GENITALES FEMENINOS EXTERNOS

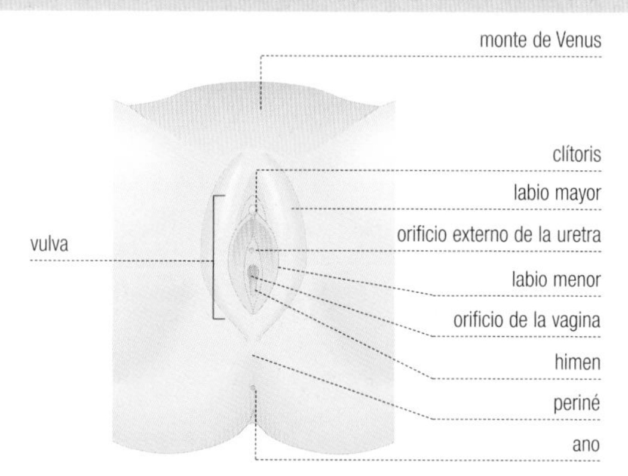

SITUACIÓN DE LOS ÓRGANOS GENITALES FEMENINOS

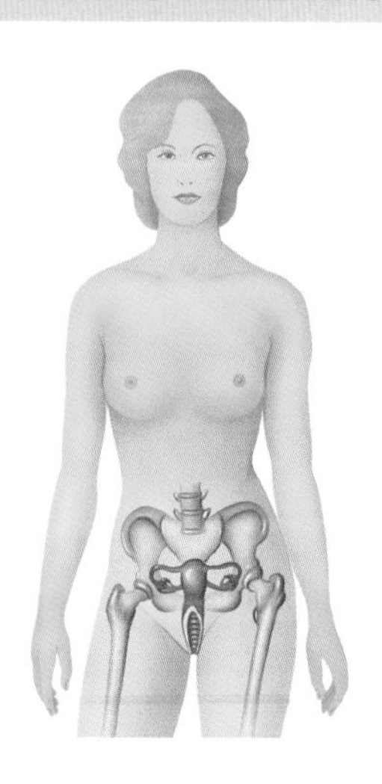

ÓRGANOS DEL APARATO GENITAL FEMENINO

útero

órgano hueco con forma de pera invertida de gruesas paredes musculares (miometrio) cuya cavidad interna está tapizada por una capa mucosa (endometrio) que en cada ciclo menstrual primero prolifera para luego descamarse y dar lugar a la menstruación, destinado a acoger el óvulo fecundado y albergar el feto durante todo el embarazo

trompa de Falopio

conducto con forma de cuerno de caza que desemboca por su extremo más delgado en el útero (istmo) y cuyo extremo en forma de embudo (infundíbulo) se abre sobre el ovario, destinado a captar el óvulo que se desprende en la ovulación y transportarlo hacia la cavidad uterina

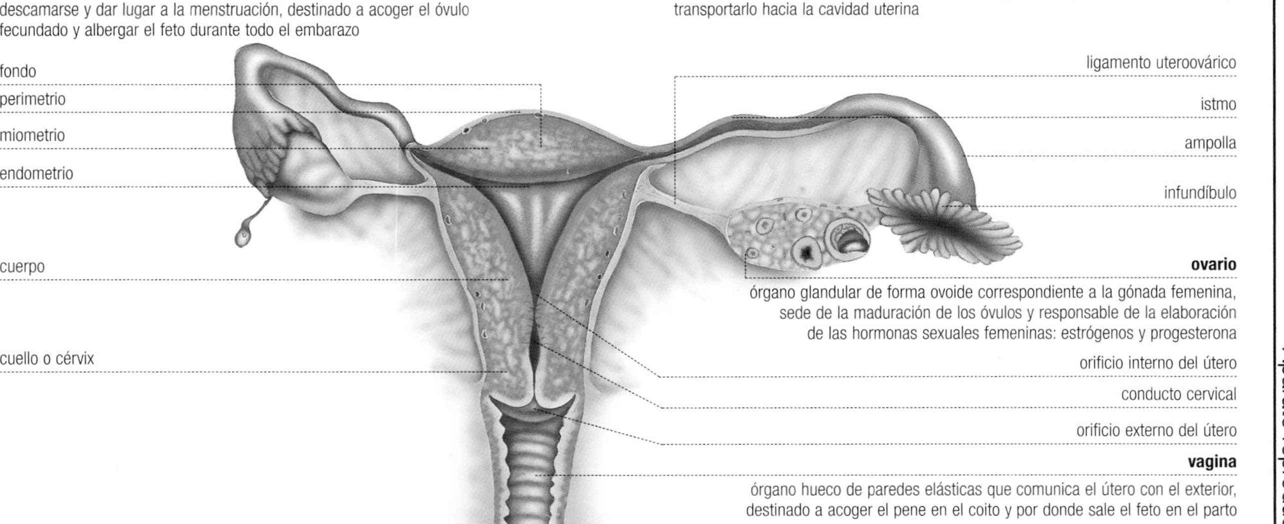

ovario

órgano glandular de forma ovoide correspondiente a la gónada femenina, sede de la maduración de los óvulos y responsable de la elaboración de las hormonas sexuales femeninas: estrógenos y progesterona

vagina

órgano hueco de paredes elásticas que comunica el útero con el exterior, destinado a acoger el pene en el coito y por donde sale el feto en el parto

APARATO GENITAL FEMENINO

SECCIÓN SAGITAL

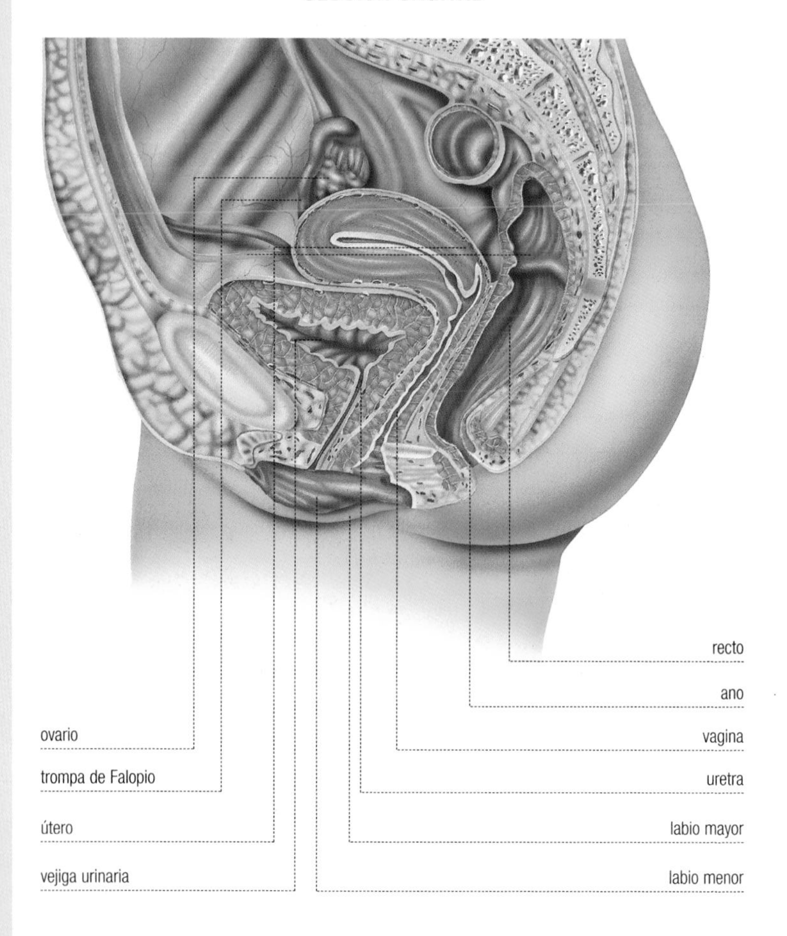

SECCIÓN SAGITAL DE LA VAGINA

La vagina es un órgano hueco situado entre la vejiga urinaria y el recto, comunicado en la parte superior con el útero, cuyo cuello hace prominencia en el fondo del conducto vaginal, y abierto por el extremo inferior al exterior mediante un orificio situado en el vestíbulo de la vulva, entre los labios menores. En la mujer adulta tiene unos 8-12 cm de longitud y un diámetro muy variable, porque sus paredes son muy elásticas y pueden dilatarse tanto para **acoger el pene** durante el coito como, de manera más notoria, para permitir la **salida del feto** en el momento del parto. En las mujeres vírgenes, el orificio de la vagina está parcialmente cubierto por una membrana denominada himen, que suele romperse con el uso de tampones o bien con ocasión del primer coito.

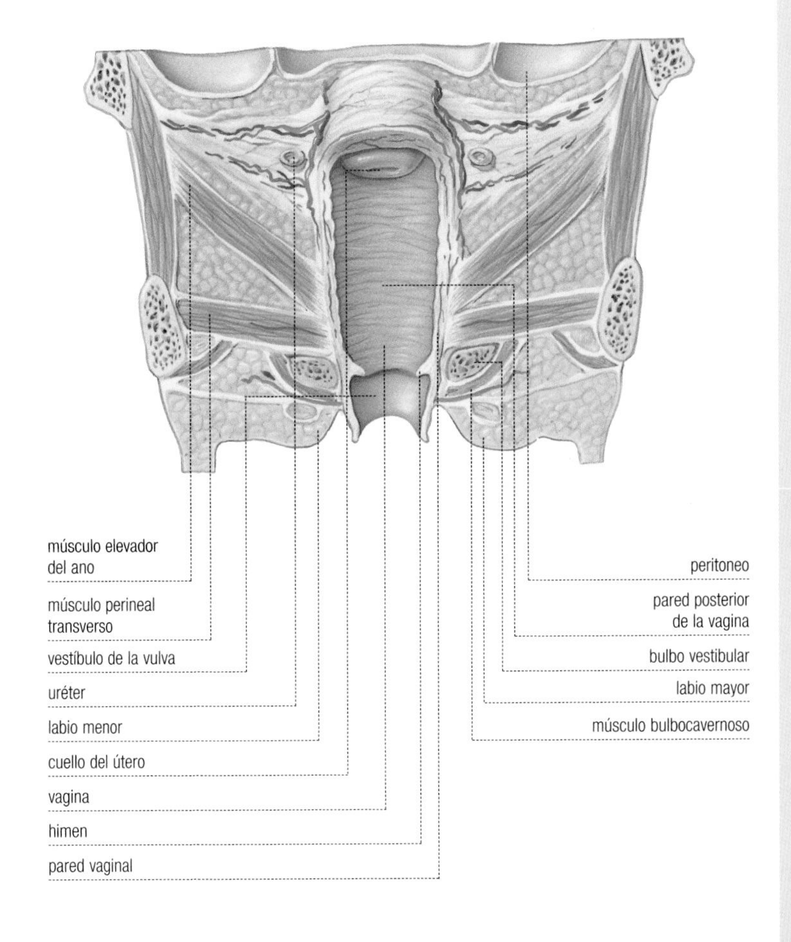

SECCIÓN DE UN OVARIO Y EVOLUCIÓN DEL FOLÍCULO OVÁRICO

En el momento del nacimiento, el ovario contiene miles de **folículos primarios** que albergan las células reproductoras femeninas inmaduras, u ovocitos primarios. Desde la pubertad, de manera cíclica se desarrollan varios folículos primarios capaces de secretar estrógenos, a la par que comienzan a madurar los ovocitos que contienen en su interior. Al cabo de unos catorce días de iniciado el ciclo, uno de los folículos completa su desarrollo y se produce la **ovulación**: el folículo estalla y el ovocito maduro, ya convertido en óvulo, se desprende del ovario. Luego las paredes del folículo roto se transforman en el cuerpo lúteo, que también secreta progesterona. Si no se produce la fecundación, el **cuerpo lúteo** se atrofia y al cabo de unos 10-14 días se transforma en el cuerpo blanco, que deja de producir hormonas femeninas.

A. ovocito primario
B. células foliculares

1. epitelio germinativo
2. túnica albugínea
3. estroma

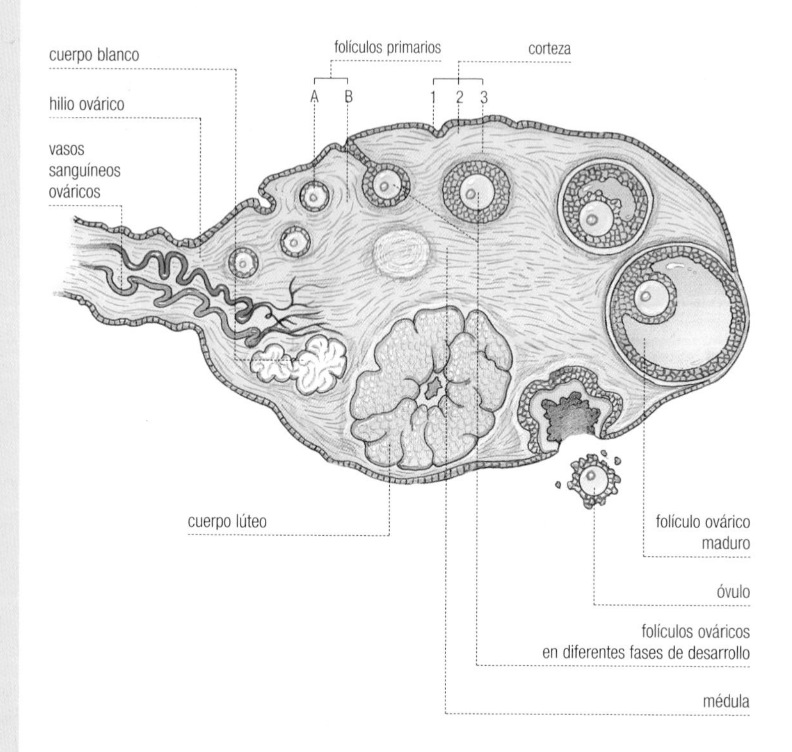

MAMAS

VISIÓN FRONTAL

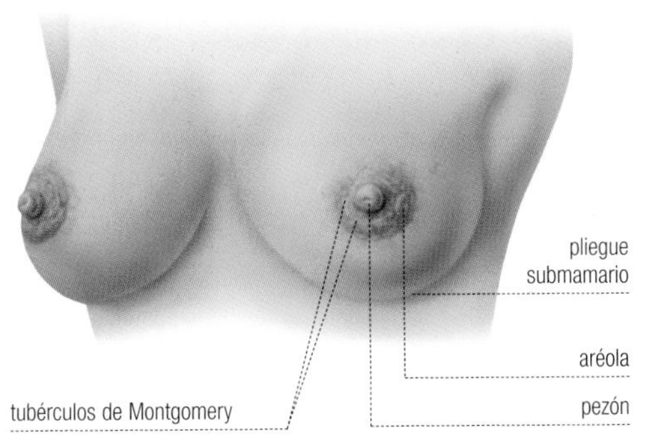

A partir de la pubertad, los pechos femeninos aumentan de tamaño y en su interior se desarrollan las **glándulas mamarias**, destinadas a **producir leche** para alimentar al recién nacido en caso de producirse un embarazo. La glándula mamaria está formada por numerosos **ácinos**, diminutos sacos tapizados por células que, bajo las oportunas influencias hormonales, tienen la propiedad de elaborar leche materna. Tales ácinos están inmersos en tejido graso y desembocan en unos delgados canales que confluyen para formar otros más gruesos, los **conductos galactóforos**, que se dirigen al exterior y, tras presentar unas dilataciones denominadas **senos lactíferos**, desembocan en el pezón.

MAMA

SECCIÓN LATERAL

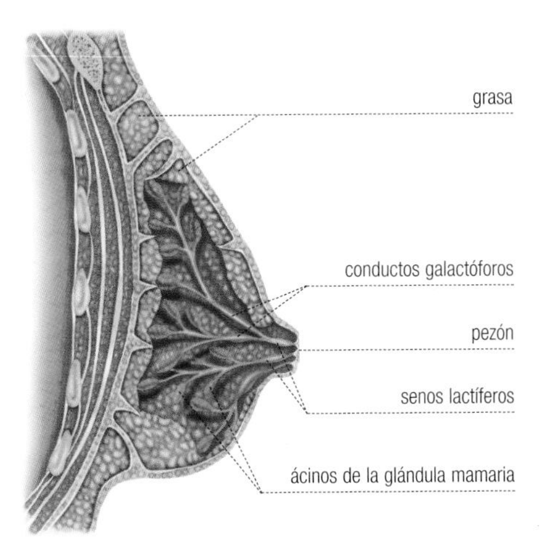

CICLO MENSTRUAL

El ciclo menstrual es el período que transcurre entre el primer día de una menstruación y el primero de la siguiente, de unos **veintiocho días** de duración. En la primera parte del ciclo, o fase proliferativa, los estrógenos producidos por los folículos ováricos hacen que la mucosa que tapiza el útero (endometrio) se vuelva más gruesa y esponjosa. Esta fase dura hasta que se produce la ovulación, alrededor del día decimocuarto. En la segunda parte del ciclo, o fase secretora, la progesterona elaborada por el cuerpo lúteo hace que el endometrio siga aumentando de grosor y se prepare para la eventual acogida de un óvulo fecundado. Si no se produce la fecundación, cesa la producción de hormonas femeninas y como consecuencia el endometrio se descama, con la aparición de la hemorragia menstrual que marca el inicio del siguiente ciclo.

DURACIÓN VARIABLE

El ciclo menstrual, que se repite de manera incesante desde la pubertad hasta la menopausia excepto en caso de producirse un eventual embarazo,
dura como promedio unos veintiocho días, pero se considera por completo normal que su duración oscile entre 21 y 35 días.

FASES DEL CICLO

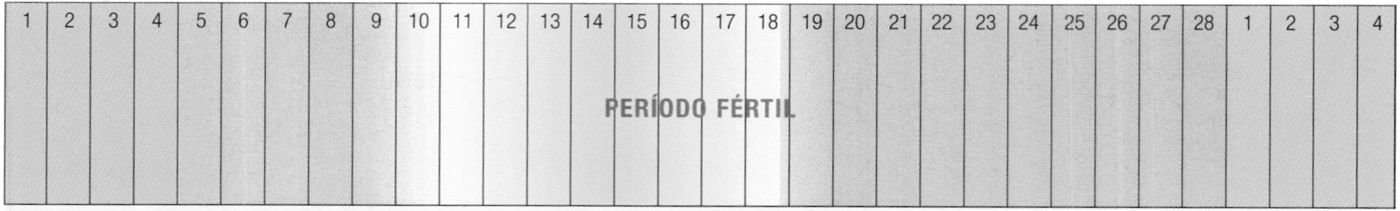

1	2	3	4	5	6	7	8	9	10	11	12	13	14	15	16	17	18	19	20	21	22	23	24	25	26	27	28	1	2	3	4

PERÍODO FÉRTIL

1. La regla, de duración variable.

2. Fase de crecimiento del folículo (puede durar más de 14 días en ciclos largos).

3. La ovulación, cuya fecha es imposible de determinar con adelanto.

4. Fase de secreción del cuerpo amarillo, que sólo la curva térmica puede determinar con exactitud.

1. La regla, de duración variable.

OVARIO

ovocito primario

folículo en desarrollo

folículo maduro

expulsión

cuerpo

cuerpo

ovocito

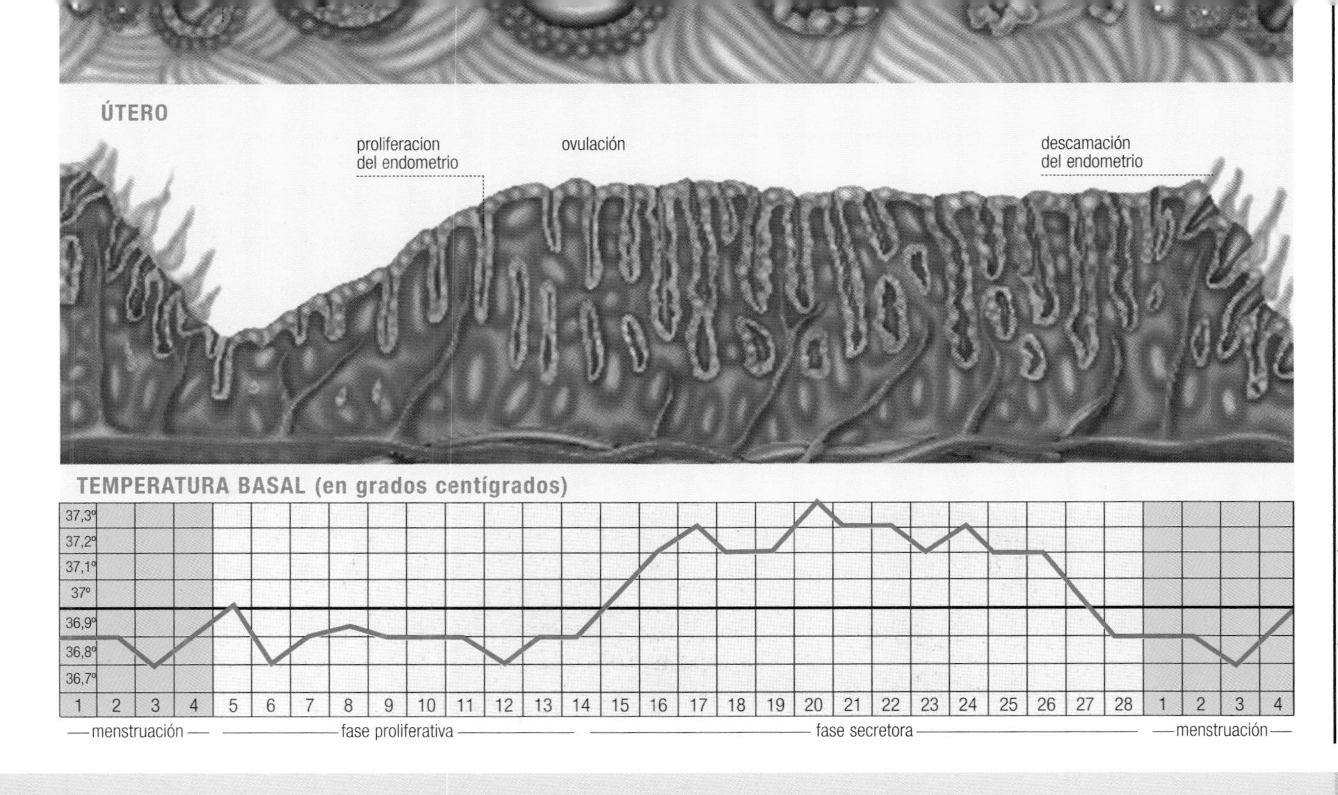
ÚTERO
proliferacion del endometrio
ovulación
descamación del endometrio
TEMPERATURA BASAL (en grados centígrados)
37,3°
37,2°
37,1°
37°
36,9°
36,8°
36,7°
1 2 3 4 5 6 7 8 9 10 11 12 13 14 15 16 17 18 19 20 21 22 23 24 25 26 27 28 1 2 3 4
menstruación
fase proliferativa
fase secretora
menstruación

La fecundación corresponde a la unión de las **células germinales** de ambos sexos, es decir, un óvulo procedente de la madre y un **espermatozoide** procedente del padre, que se funden y constituyen la célula huevo, o cigoto, punto de partida de un nuevo ser.

ESPERMATOZOIDE

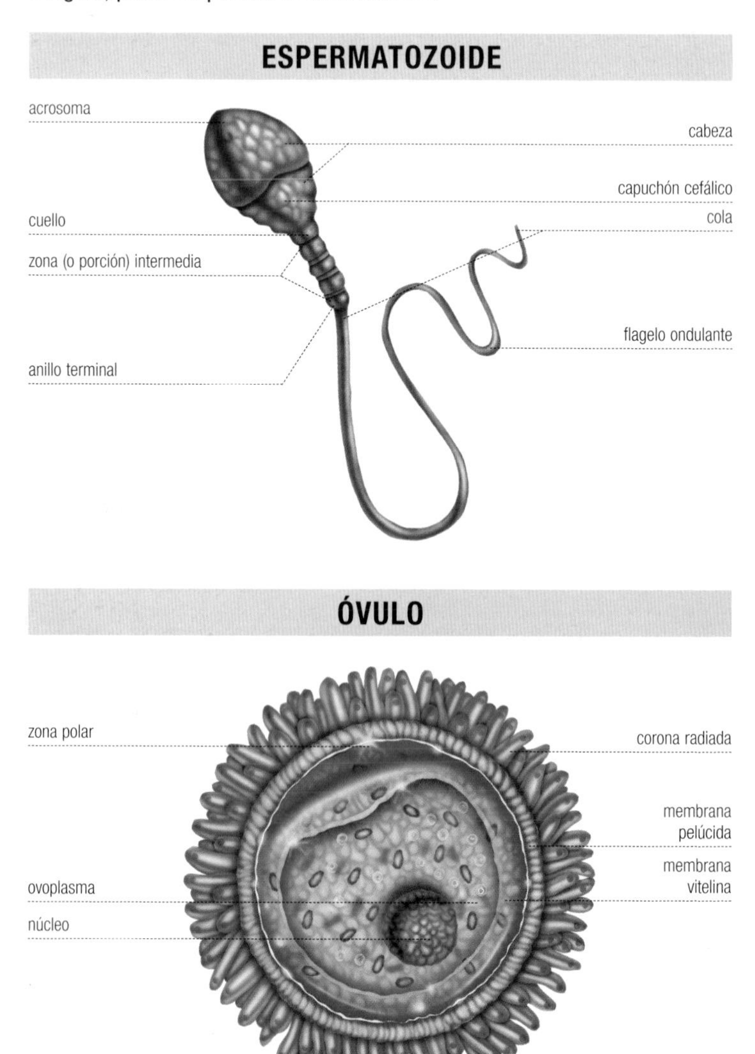

HOMBRE Y MUJER EN EL ACTO SEXUAL

En el acto sexual, con la eyaculación el hombre deposita en la vagina de la mujer millones de espermatozoides que comienzan un largo recorrido a través del aparato genital femenino: si el coito tiene lugar durante el período fértil de la mujer y los espermatozoides se encuentran en su camino con un óvulo, es muy probable que uno de ellos lo fecunde.

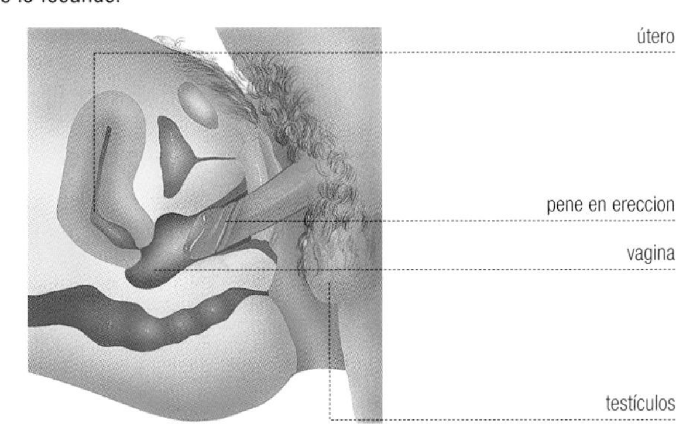

UNIÓN DEL ÓVULO Y EL ESPERMATOZOIDE

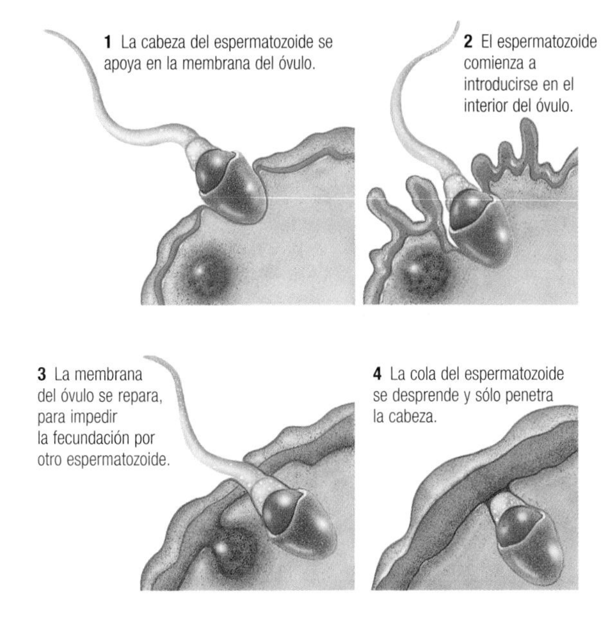

PROCESO DE FECUNDACIÓN Y NIDACIÓN

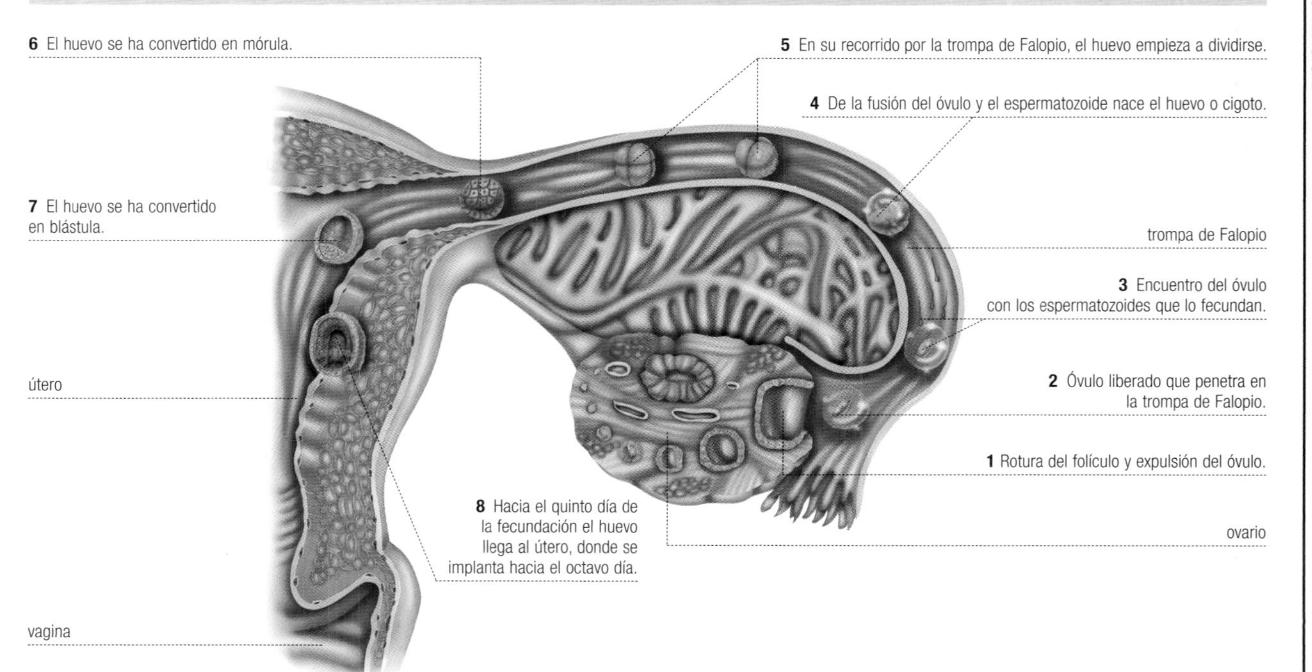

FORMACIÓN DE LA MÓRULA Y LA BLÁSTULA

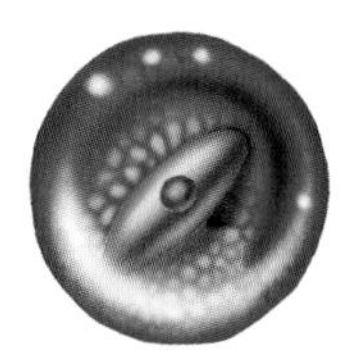
óvulo liberado

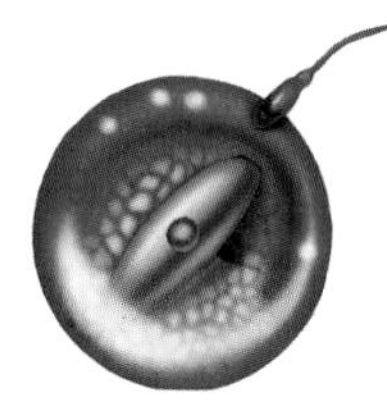
óvulo fecundado por un espermatozoide

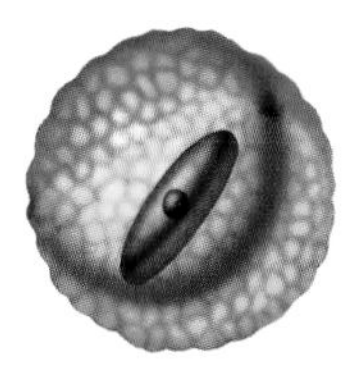
huevo o cigoto, nacido de la fusión del óvulo y el espermatozoide

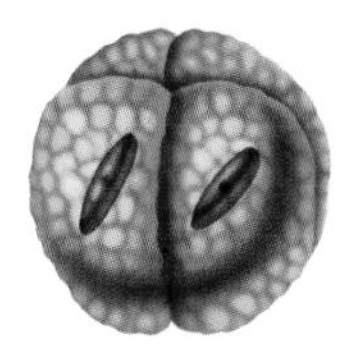
cigoto dividido en cuatro blastómeros

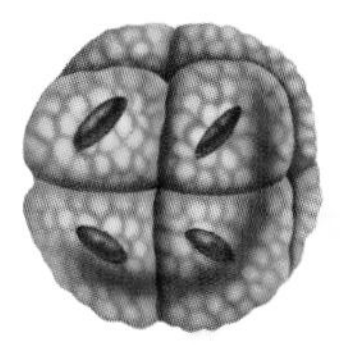
cigoto dividido en ocho blastómeros

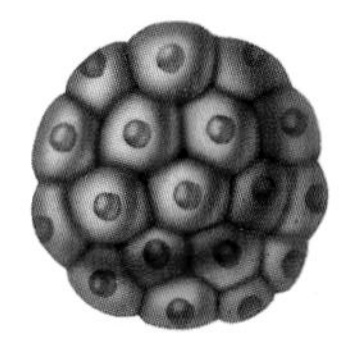
mórula formada a los cuatro días de la fecundación, con 32 blastómeros

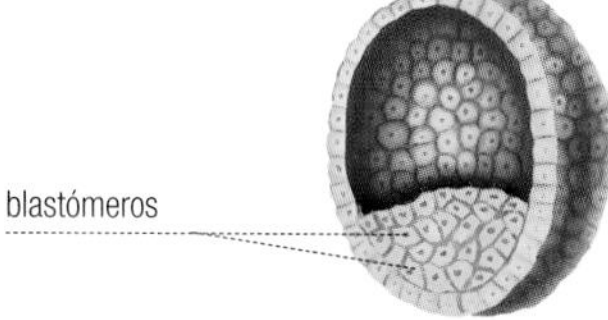

sección de la blástula

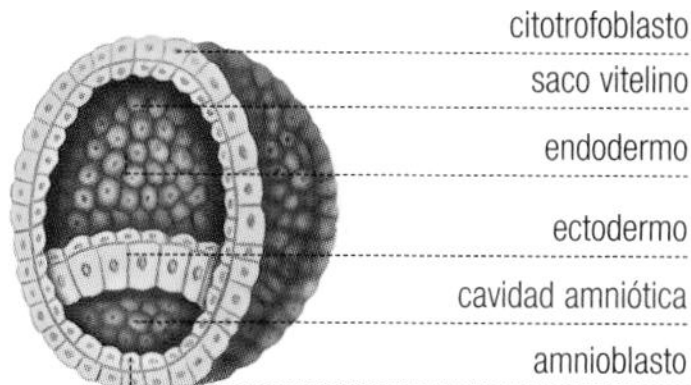

sección de la blástula en el momento de implantarse en el útero

La gestación, o embarazo, se inicia en el momento de la fecundación y finaliza alrededor de **nueve meses** después con el nacimiento de un bebé. Durante este período, las sucesivas divisiones de la célula huevo dan lugar a la formación de un **embrión** que a partir de los tres meses ya tiene un claro aspecto humano y pasa a denominarse **feto**: sólo falta que madure en el vientre materno el tiempo necesario hasta que se encuentre en condiciones de afrontar una vida autónoma.

DESARROLLO DEL EMBRIÓN

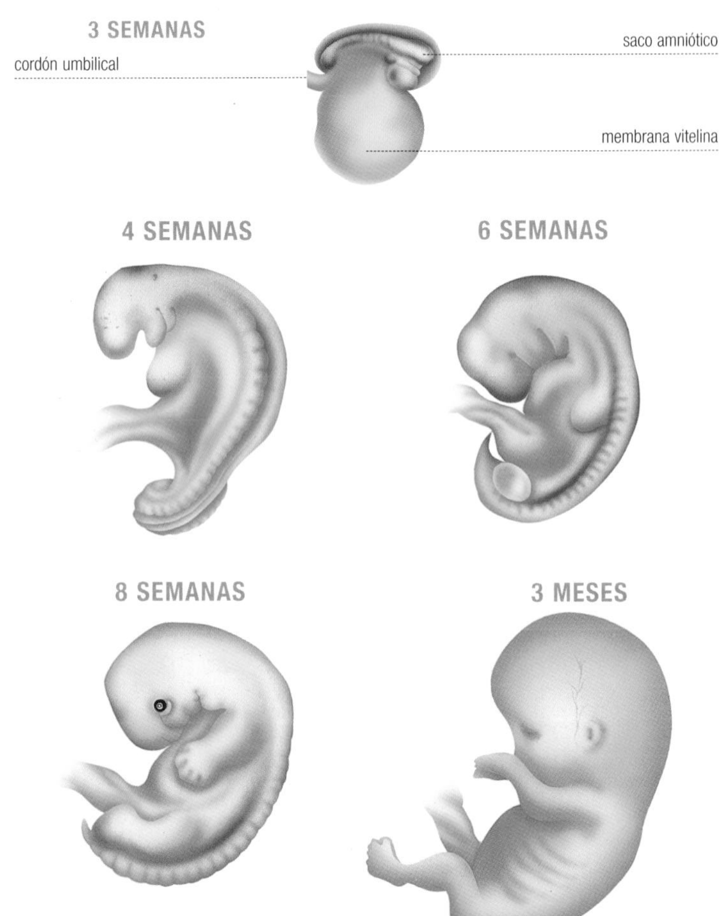

ELEMENTOS DE UN EMBRIÓN DE CUATRO SEMANAS

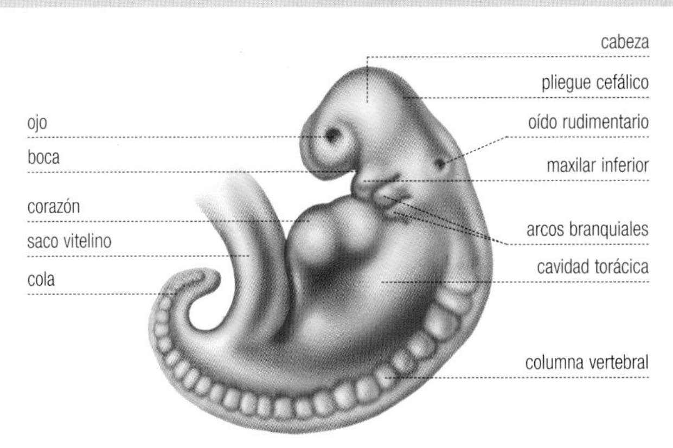

GEMELOS

Aunque en la mayor parte de los embarazos se forma un solo feto, puede ocurrir que en el vientre materno se desarrollen simultáneamente dos o incluso más fetos, lo que da lugar al nacimiento de sendos hermanos denominados genéricamente **gemelos**. A veces ello se debe a que dos óvulos distintos resultan fecundados por dos espermatozoides diferentes: se desarrollan entonces **gemelos bivitelinos** o **fraternos**, que cuentan cada uno con una placenta propia y pueden ser del mismo sexo o no, con el mismo parecido que si hubieran nacido por separado. Otras veces sucede que del cigoto derivado de la fusión de un solo óvulo y un único espermatozoide se divide en dos o más fragmentos y se forman sendos embriones: se desarrollan entonces **gemelos univitelinos** o **idénticos**, que comparten una sola placenta y disponen de la misma dotación genética, por lo que siempre son del mismo sexo y tienen un gran parecido.

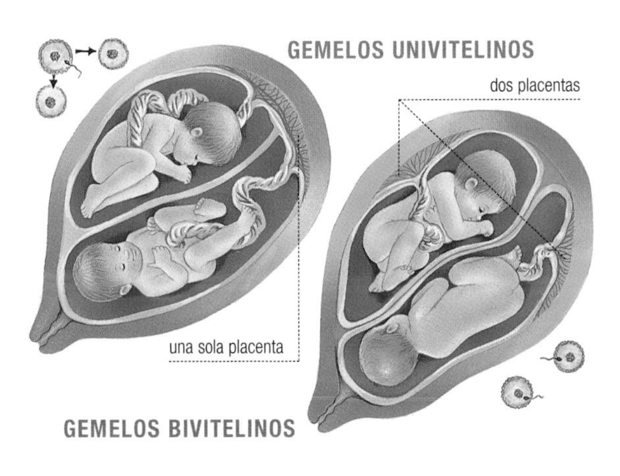

DESARROLLO DEL

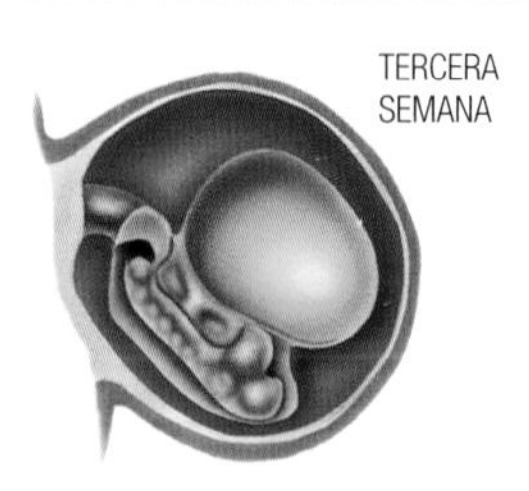

Las células se van multiplicando para formar todos los tejidos y órganos. Aparecen las estructuras que darán lugar a los distintos órganos, esqueleto, vasos y nervios.

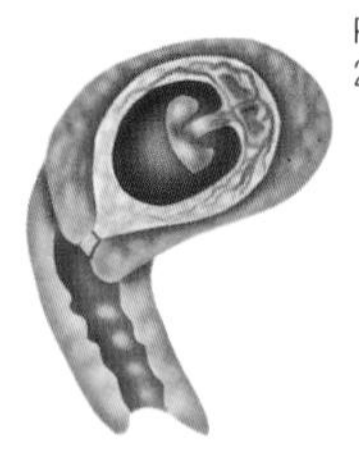

El corazón empieza a latir y se insinúan la columna vertebral y el cerebro.

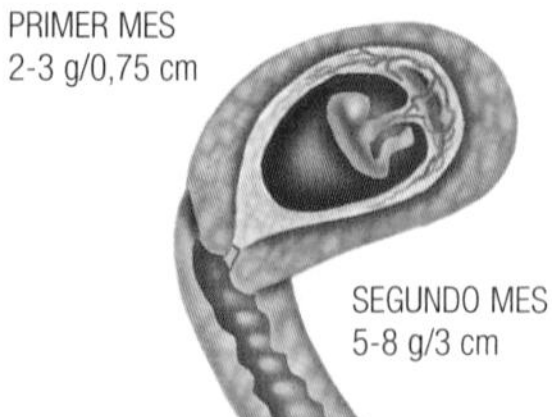

Son perceptibles los pies y las manos y se reconocen los órganos. A partir del segundo mes el feto se desarrolla rápidamente.

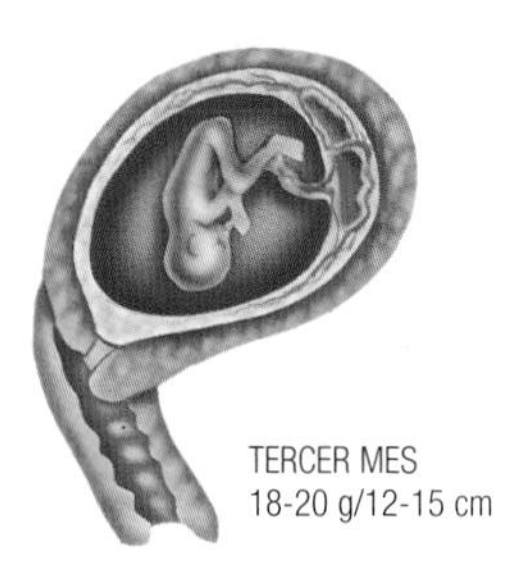

El feto adquiere aspecto humano, con una cabeza muy grande en comparación con el resto.

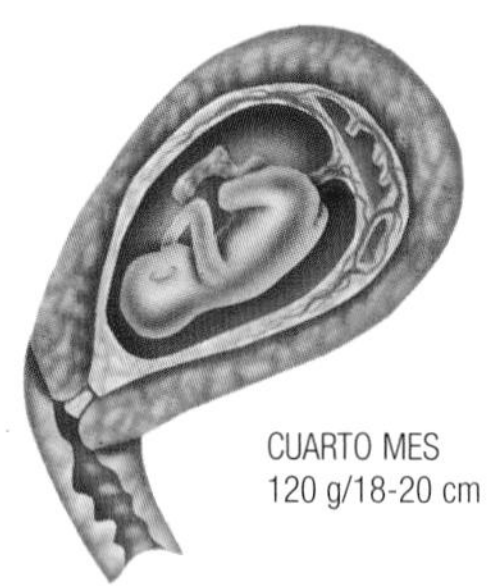

Se esboza el funcionamiento del tubo digestivo, hígado, páncreas y riñones. Aparecen los cabellos y las uñas. El feto empieza a mover los brazos y las piernas.

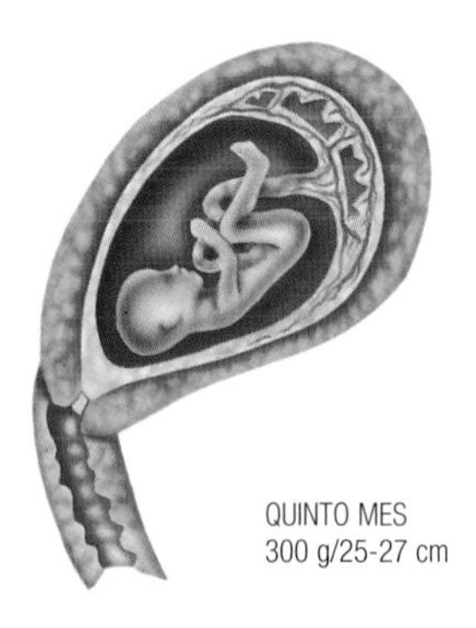

Maduración del sistema nervioso. La madre empieza a percibir los movimientos del feto, que ya tiene cejas, pestañas y vello en la piel.

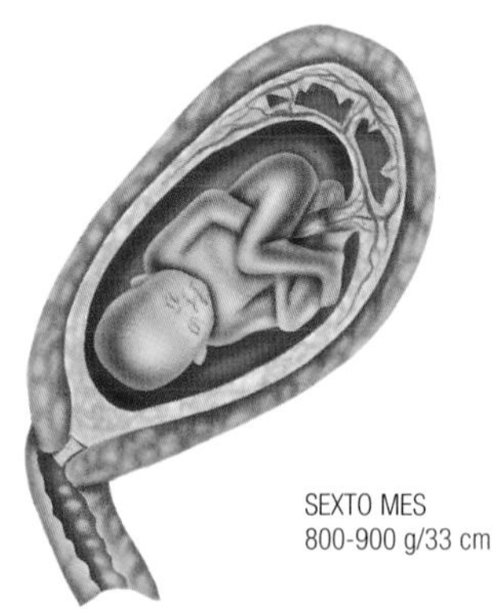

La médula ósea empieza a producir glóbulos rojos. El feto adquiere color rosado al hacerse visible la sangre de los capilares. Maduran los pulmones.

L ÚTERO MATERNO

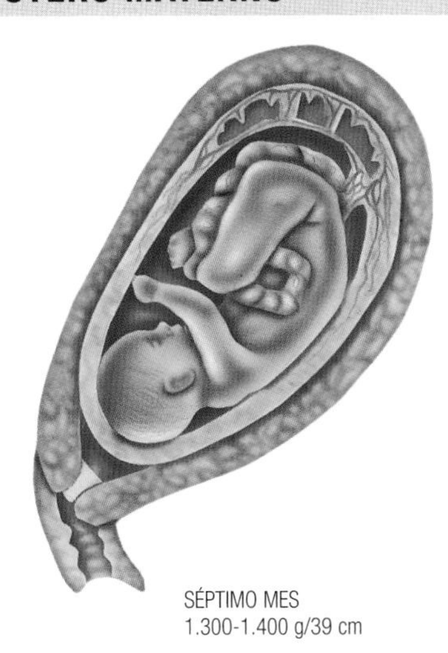

SÉPTIMO MES
1.300-1.400 g/39 cm

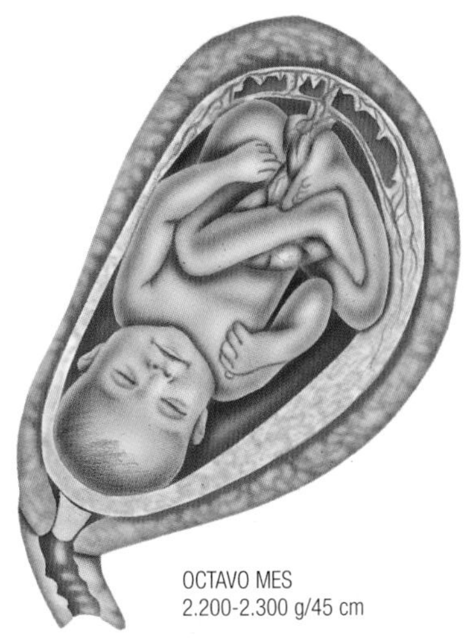

OCTAVO MES
2.200-2.300 g/45 cm

Los pulmones tienen ya una mínima estructura que permitiría la supervivencia del bebé en caso de un parto prematuro. El feto ha experimentado un gran crecimiento. Los órganos internos van madurando para la vida en el exterior.

Los pulmones están preparados para respirar. La piel presenta un color rosado y es lisa.

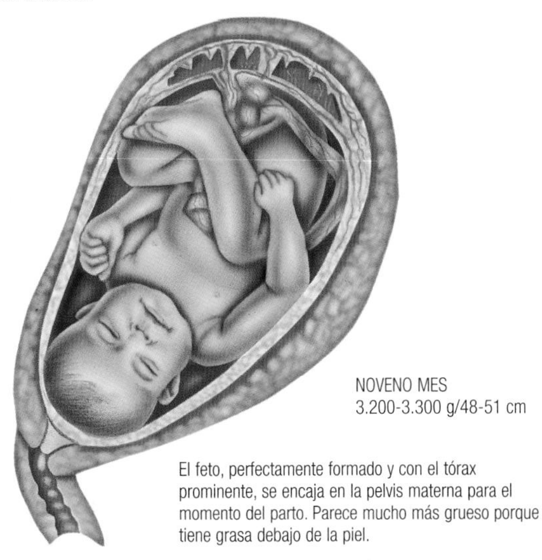

NOVENO MES
3.200-3.300 g/48-51 cm

El feto, perfectamente formado y con el tórax prominente, se encaja en la pelvis materna para el momento del parto. Parece mucho más grueso porque tiene grasa debajo de la piel.

PLACENTA

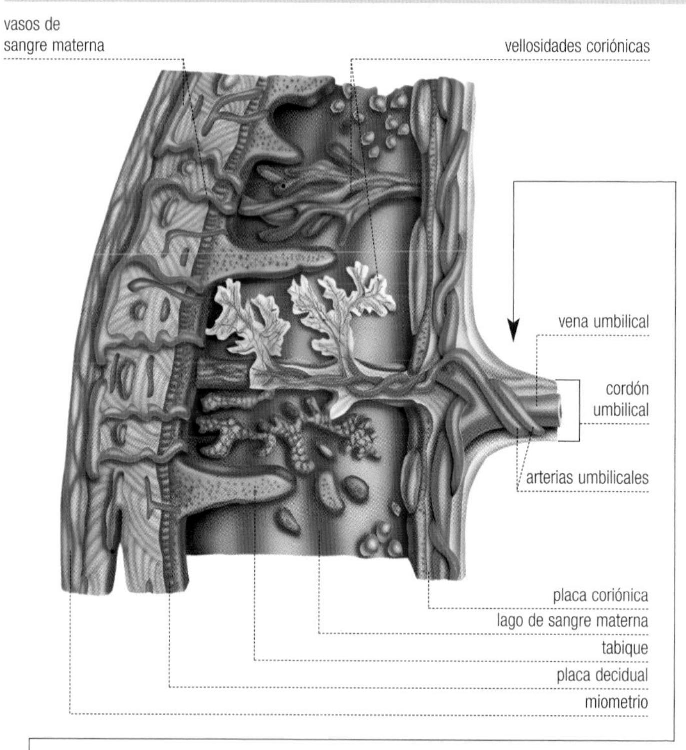

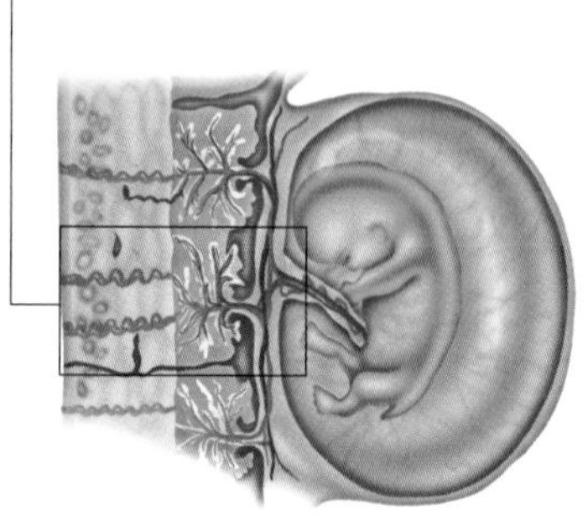

La placenta es un órgano que se desarrolla durante la gestación y **hace de puente** entre el organismo materno y el fetal. Se forma poco después de la nidación a partir del tejido externo del embrión, llamado **corion**, y la membrana uterina adaptada para el embarazo, o **decidua**. A la placenta llegan vasos maternos y de la misma parten vasos que llegan hasta el feto por el **cordón umbilical**. En la placenta se produce un fundamental **intercambio de sustancias** entre la sangre de la madre y la del feto, que sin embargo nunca están en contacto directo: de la circulación materna pasan a la fetal nutrientes y oxígeno, mientras que en dirección inversa pasan los residuos metabólicos del bebé que luego son eliminados por el organismo de la madre.

DESARROLLO DEL FETO EN EL VIENTRE MATERNO

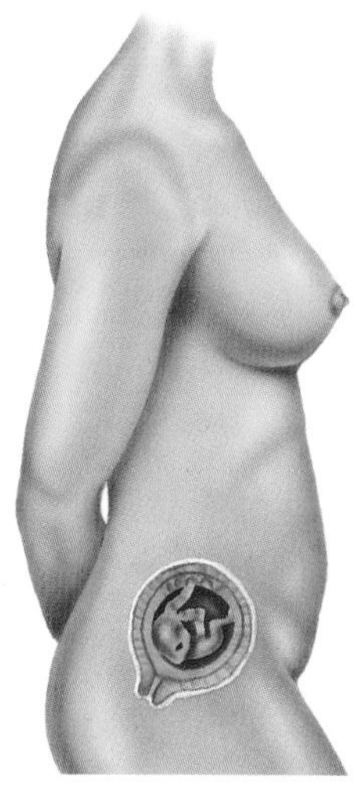

TERCER MES
Feto completamente formado. Inicio de un período de crecimiento muy rápido.

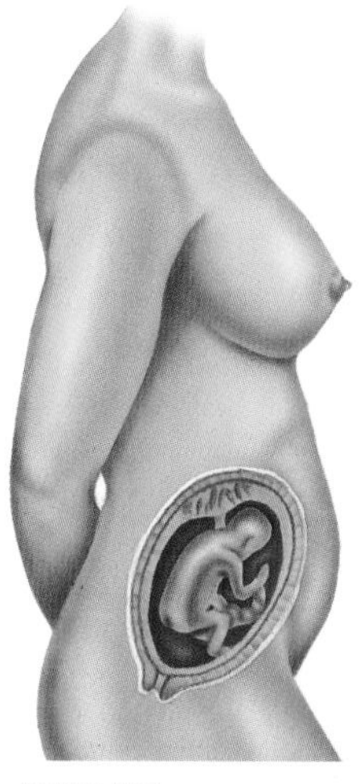

QUINTO MES
El feto empieza a moverse activamente y reacciona a los sonidos.

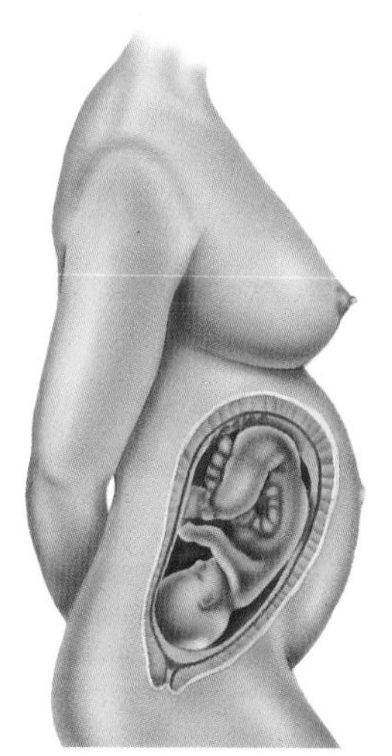

SÉPTIMO MES
Importante maduración de los órganos internos. Está en condiciones de sobrevivir.

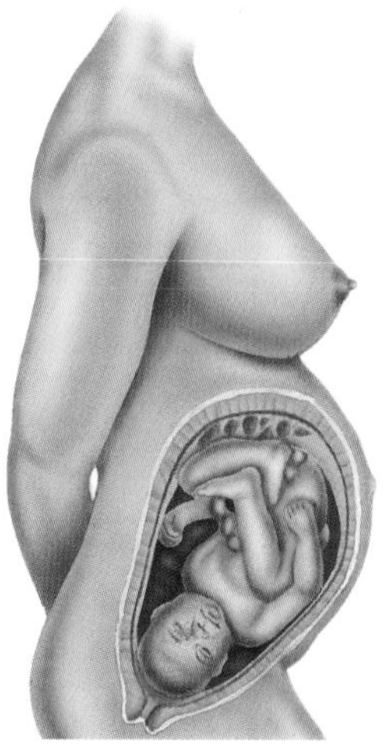

NOVENO MES
Feto totalmente desarrollado. Se encaja perfectamente en la pelvis materna para el parto.

ABDOMEN DE UNA MUJER AL FINAL DEL EMBARAZO

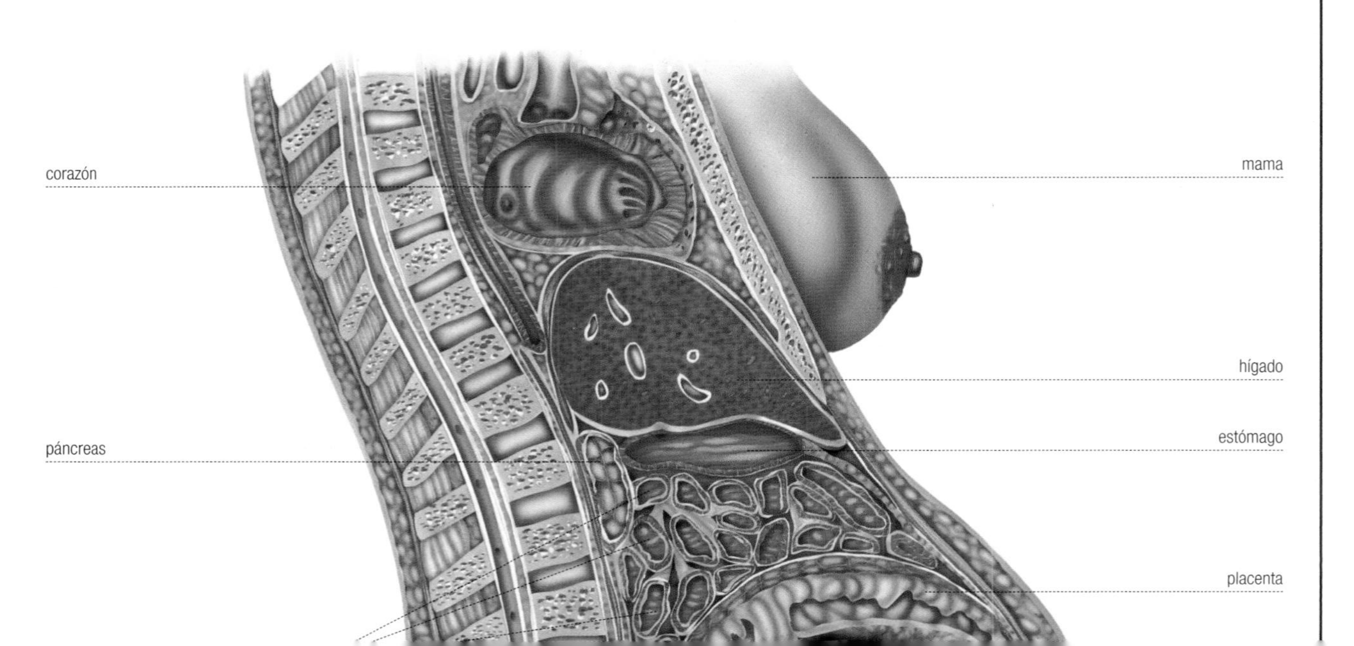

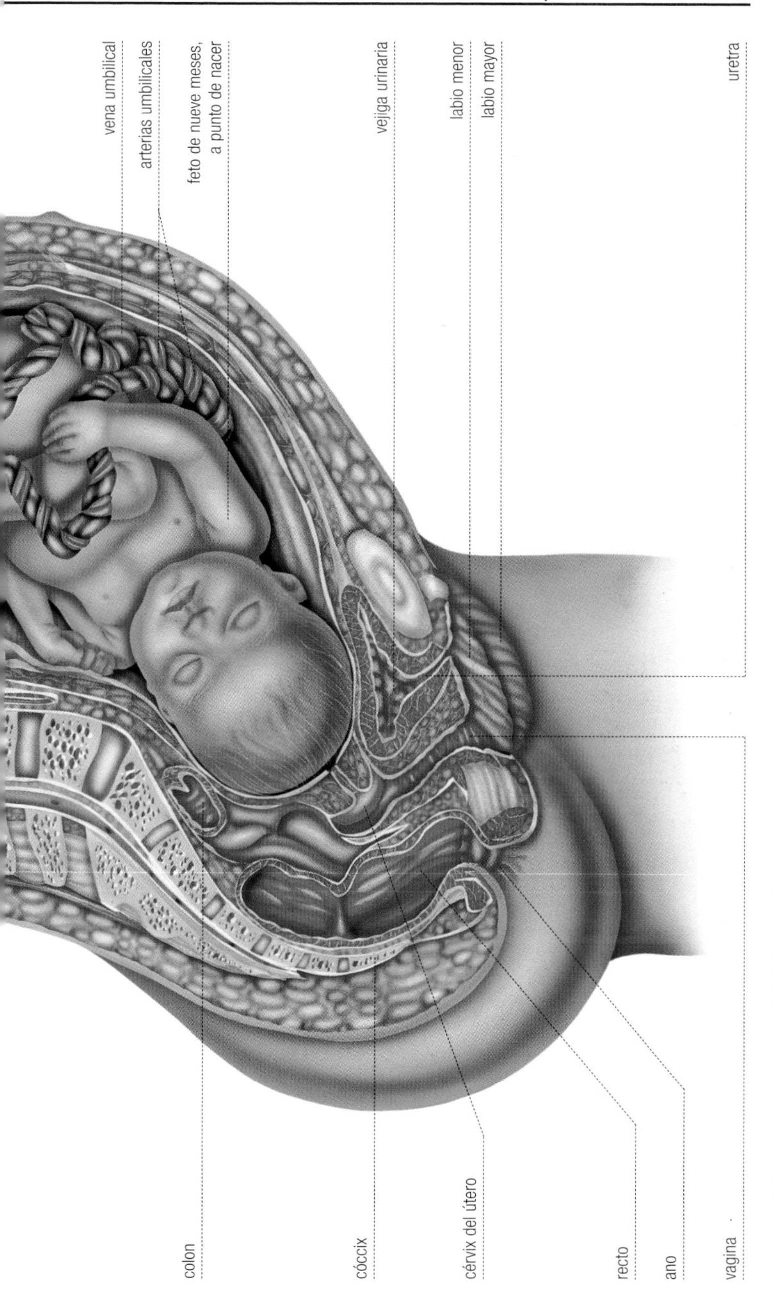
vena umbilical
arterias umbilicales
feto de nueve meses, a punto de nacer
vejiga urinaria
labio menor
labio mayor
uretra
colon
cóccix
cérvix del útero
recto
ano
vagina

Después de unos nueve meses de gestación, ocurre un hecho incomparable: el **nacimiento** de un bebé capacitado para llevar una vida autónoma fuera del vientre materno, aunque todavía requerirá durante mucho tiempo los cuidados de sus padres. El parto es un proceso prolongado y dividido en **diferentes fases** durante el cual el orificio del cuello uterino se dilata y las paredes de la matriz se contraen con fuerza para expulsar al exterior primero al feto y luego la placenta.

ENCAJAMIENTO FETAL

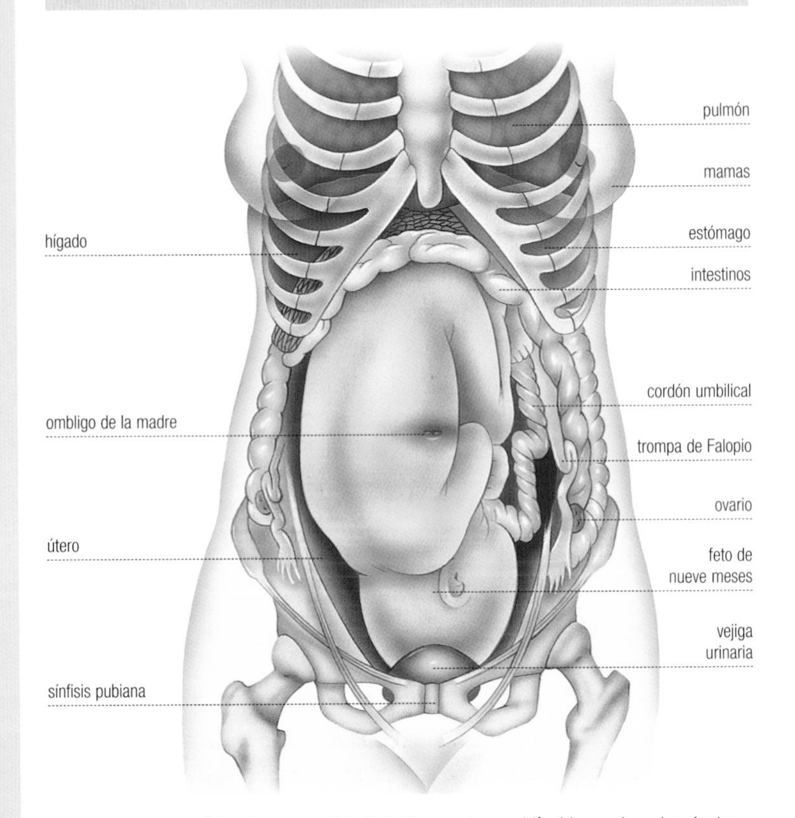

Durante gran parte del embarazo, el feto flota libremente en el líquido que lo rodea dentro del saco amniótico, pero a medida que crece el espacio disponible disminuye y sus movimientos se restringen. Cuando se aproxima el momento del nacimiento, el feto desciende y su cabeza queda «encajada» entre los huesos de la pelvis materna: todo está a punto para que comience el proceso del parto.

PRESENTACIONES FETALES

PRESENTACIÓN CEFÁLICA

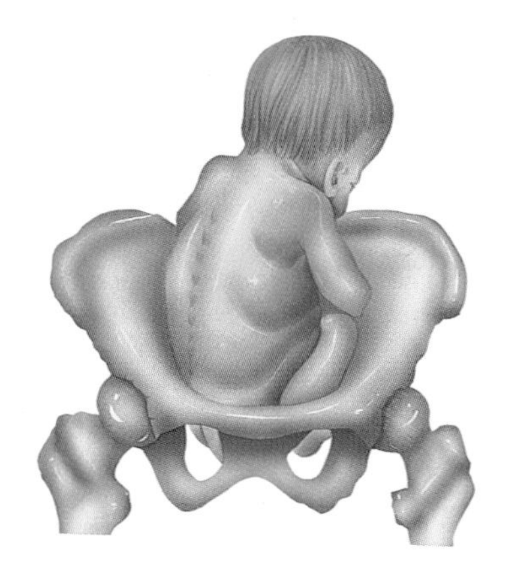

PRESENTACIÓN DE NALGAS

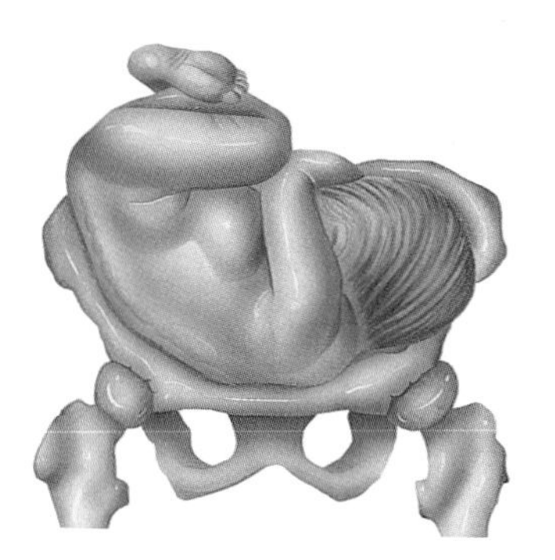

PRESENTACIÓN TRANSVERSAL

En condiciones normales, el feto adopta una posición típica para el momento del parto, denominada **presentación cefálica**: con la cabeza hacia abajo y las nalgas hacia arriba, los brazos y las piernas flexionados. Sin embargo, hay ocasiones en que el feto queda situado en una posición distinta a la descrita: es el caso de la **presentación de nalgas**, con la cabeza hacia arriba, o la **presentación transversal**, perpendicular con respecto a la pelvis materna. En estos casos el parto es más difícil y por ello muchas veces se recurre a una cesárea, intervención quirúrgica en que se hace una incisión en el vientre materno por donde se extrae al bebé.

EL PROCESO DEL PARTO

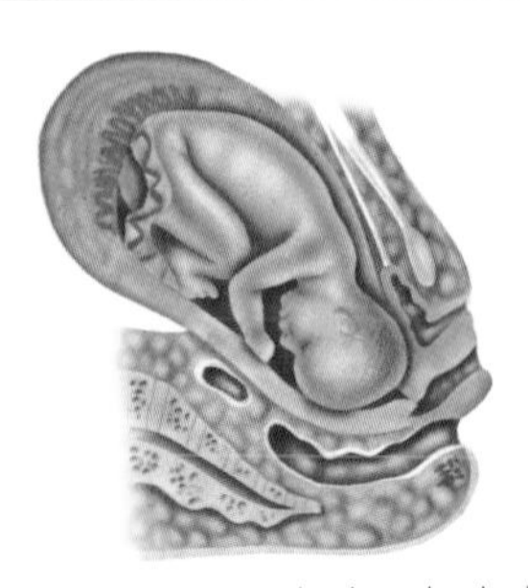

Entre tres o cuatro semanas (madres primerizas) y unas horas (madres multíparas) antes del parto, la cabeza del feto se coloca frente a la salida de la pelvis materna.

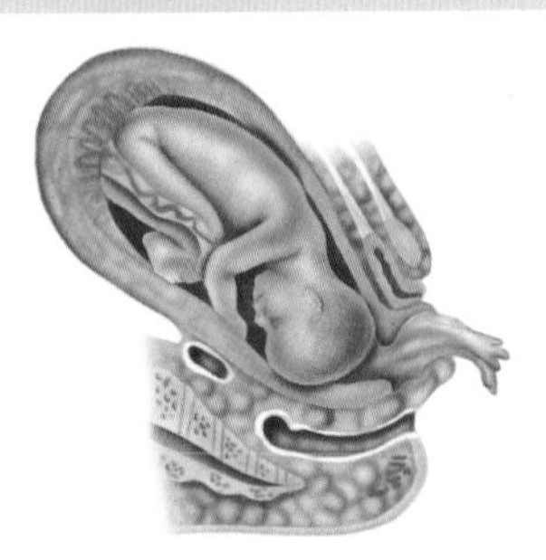

Los músculos del útero empiezan a contraerse de forma irregular y con intensidad diferente. Estas contracciones hacen que la bolsa que envuelve el feto se rompa y el líquido que contiene (unos 2 litros) se derrame y el bebé sea empujado hacia el exterior.

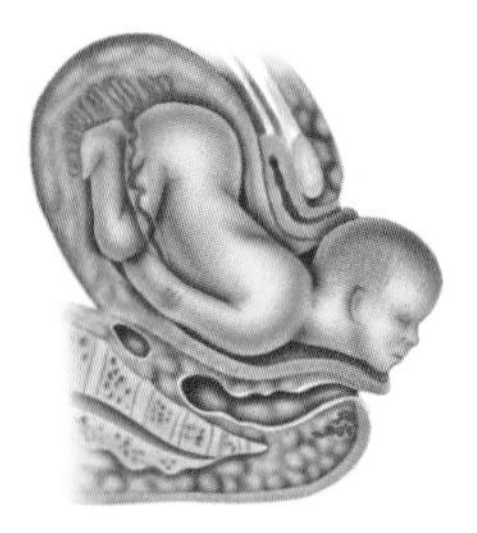

En un parto normal lo primero que sale al exterior es la cabeza del feto. Si la madre no ha dilatado suficientemente, es preciso practicarle una escisión en el perineo para evitar complicaciones.

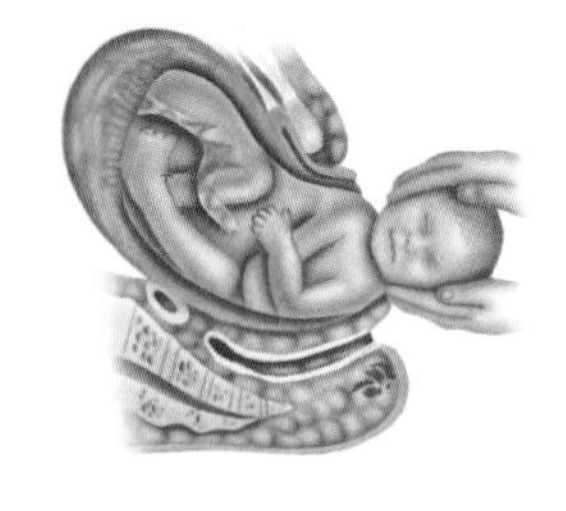

Después de salir de cabeza, el cuerpo del bebé gira y va saliendo al exterior. La duración de esta fase es variable, como las de todas las del proceso.

La parte del cordón umbilical, la placenta y demás residuos son expulsados al exterior aproximadamente un cuarto de hora más tarde mediante fuertes contracciones de la musculatura uterina.

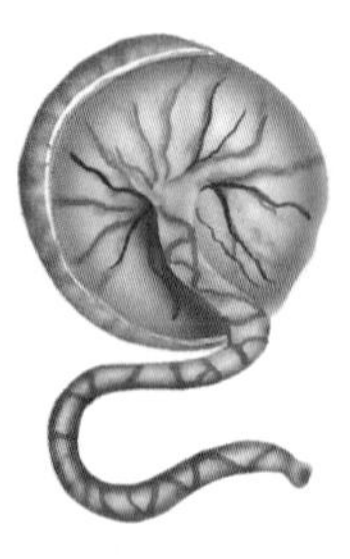

La placenta con el cordón umbilical ya expulsado del vientre materno, después del llamado *alumbramiento.* El proceso del parto propiamente dicho ha terminado.

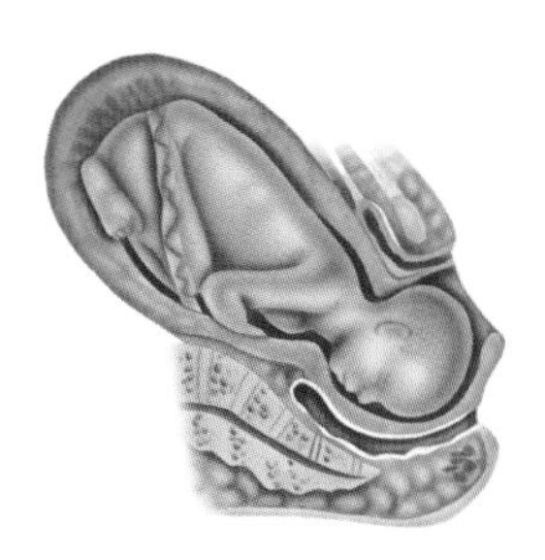

El cuello del útero empieza a dilatarse hasta una anchura de unos 10 cm para facilitar la salida del feto al exterior. Las contracciones se hacen cada vez más intensas e intermitentes.

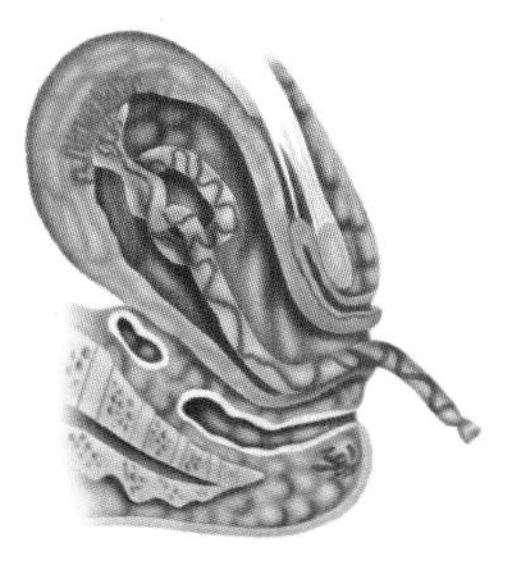

Una vez que el bebé está fuera del vientre de la madre, queda unido aún a la placenta mediante el cordón umbilical, que debe cortarse. La placenta queda en el vientre materno con los residuos correspondientes.

Desde que se presentan las contracciones uterinas hasta que por fin se produce la salida del feto suelen transcurrir de seis a doce horas en las mujeres que tienen su primer hijo y alrededor de cuatro en las que ya han tenido algún otro hijo.

LA FASE DE EXPULSIÓN

El momento culminante del parto corresponde a la fase de expulsión del feto: la coronilla del bebé asoma en la vulva de la madre y al cabo de poco su cabeza sale al exterior, seguida con facilidad por el resto del cuerpo.

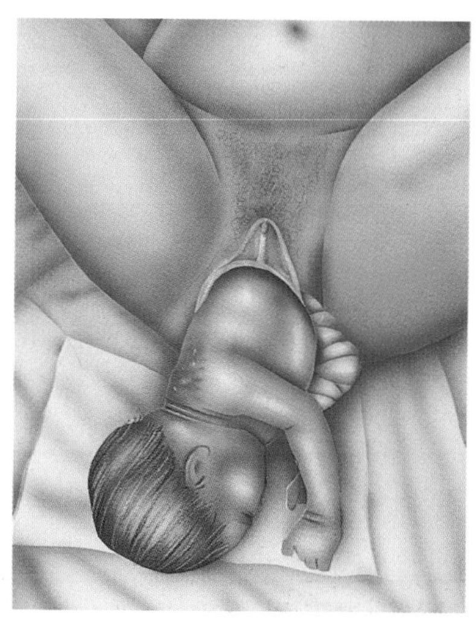

SISTEMA ENDOCRINO

El sistema endocrino está formado por un conjunto de glándulas de secreción interna que producen y vierten directamente a la sangre hormonas, mensajeros químicos que llegan en pequeña cantidad a su destino con la circulación para ejercer su acción: algunas hormonas actúan sobre órganos específicos, acelerando o inhibiendo ciertas reacciones, mientras que otras lo hacen sobre todos los tejidos regulando, entre otras cosas, el metabolismo así como el crecimiento corporal.

GLÁNDULAS DEL SISTEMA ENDOCRINO

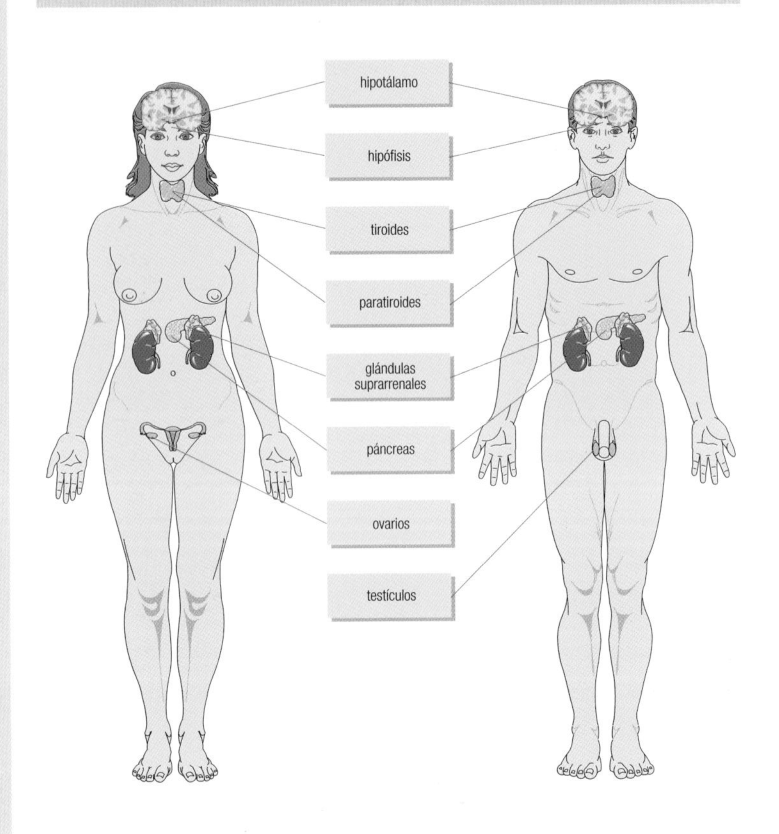

HIPOTÁLAMO E HIPÓFISIS

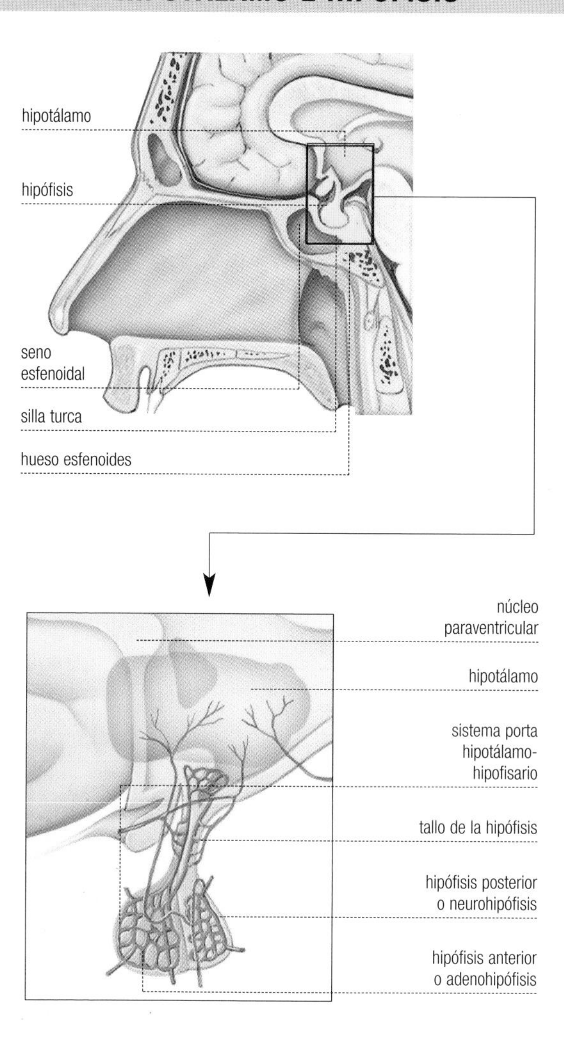

El hipotálamo y la hipófisis son dos pequeñas estructuras situadas en la base del cerebro que tienen una particular relación anatómica: por un lado, algunas neuronas del hipotálamo emiten prolongaciones que llegan hasta el lóbulo posterior de la hipófisis (neurohipófisis); por otro, una red de vasos venosos, o sistema porta, lleva factores hormonales producidos por el hipotálamo al lóbulo anterior de la hipófisis (adenohipófisis).

FUNCIONES DEL HIPOTÁLAMO

El hipotálamo hace de «puente» entre el sistema nervioso y el endocrino: contiene centros neurológicos que regulan diversas funciones corporales y, a través de sus secreciones hormonales, modula la actividad de la hipófisis.

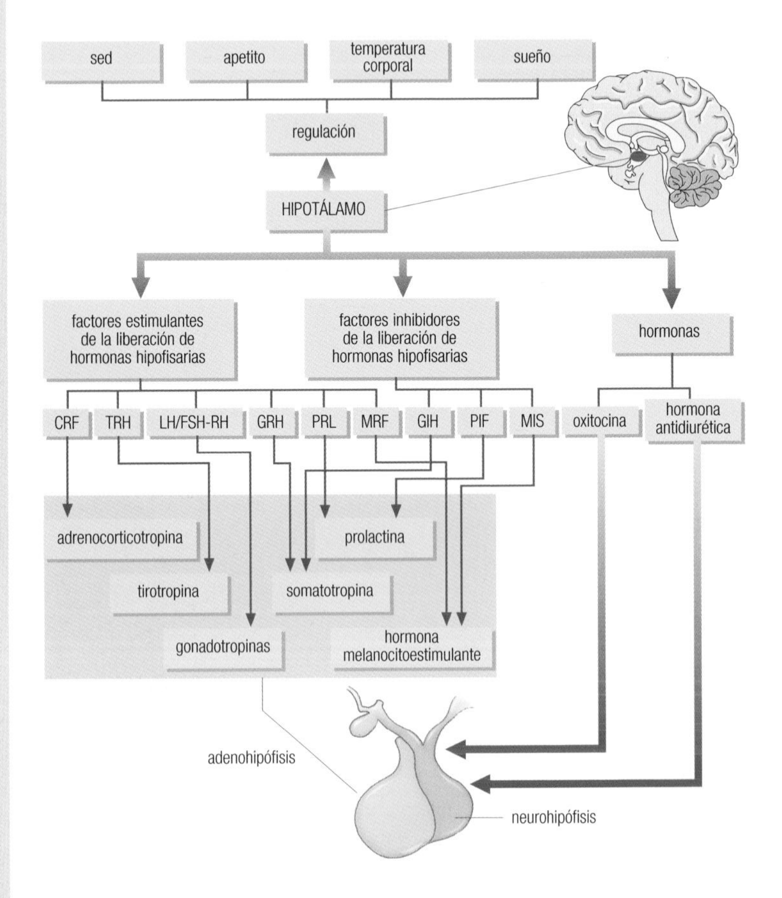

SECRECIÓN HORMONAL DE LA HIPÓFISIS

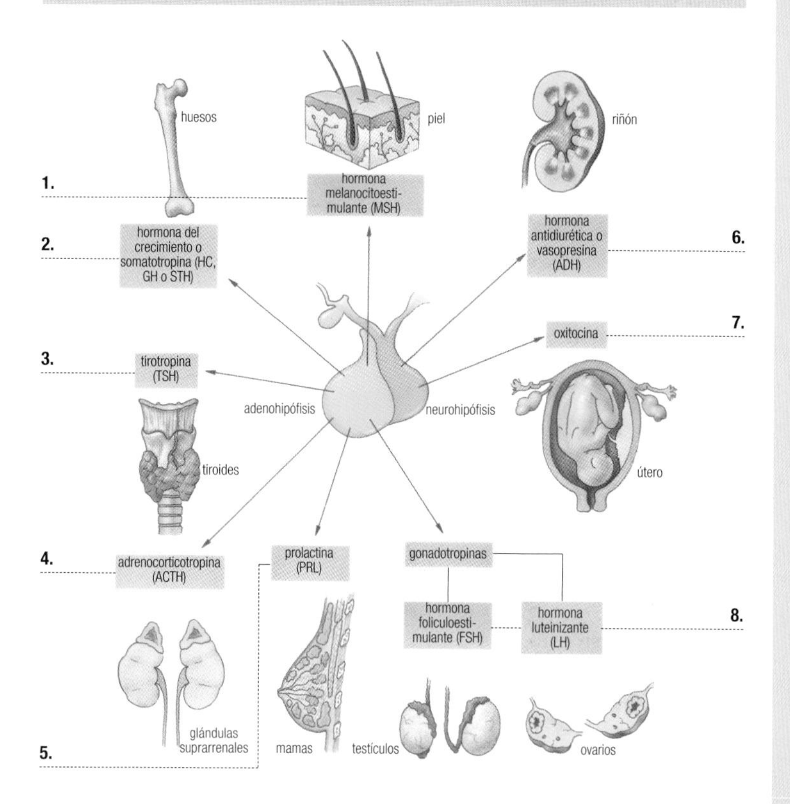

1. estimula el funcionamiento de los melanocitos, células cutáneas que producen el pigmento responsable del color de la piel

2. tiene un efecto anabólico, estimula el crecimiento de los huesos, los músculos y todos los órganos durante la infancia y pubertad

3. estimula la secreción de hormonas tiroideas

4. estimula la corteza de las glándulas suprarrenales para que produzcan corticosteroides

5. estimula la producción de leche materna

6. provoca retención de agua en los riñones (orina más concentrada) y produce vasoconstricción

7. provoca contracciones del útero en el parto

8. regulan la maduración de células germinales (espermatozoides y óvulos) y la producción de hormonas sexuales

TIROIDES

VISTA FRONTAL

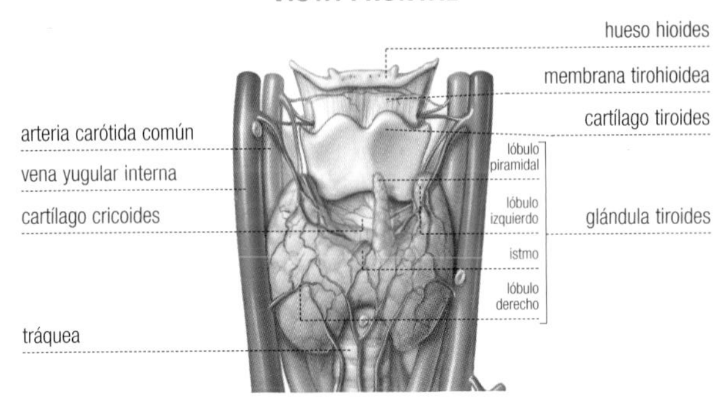

El tiroides es una glándula situada en la parte anterior del cuello, formada por dos *lóbulos laterales* que rodean el inicio de la tráquea unidos entre sí por una estrecha porción de tejido llamada *istmo*, aunque a veces presenta también una pequeña prolongación superior denominada *lóbulo piramidal*. Produce dos hormonas que estimulan las reacciones metabólicas del organismo, aumentando el consumo celular de oxígeno y la producción de calor, esenciales para el crecimiento físico y el desarrollo mental en los niños: la **tiroxina** y la **triyodotironina**.

REGULACIÓN DE LA FUNCIÓN TIROIDEA

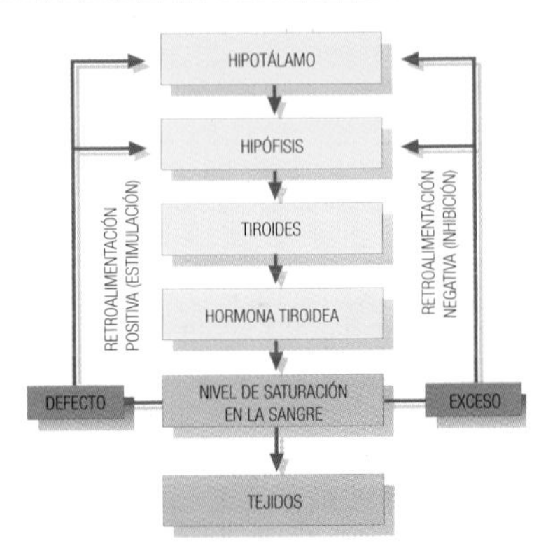

La producción de hormonas tiroideas depende del estímulo de la **hormona tirotropina** (TSH) elaborada por la hipófisis, cuya secreción a su vez depende del **factor liberador de tirotropina** (TRH) elaborado por el hipotálamo. Un delicado equilibrio permite adaptar los niveles sanguíneos de hormonas tiroideas a las necesidades: la estimulación de la glándula aumenta ante un déficit (retroalimentación positiva), mientras disminuye ante un exceso (retroalimentación negativa).

SITUACIÓN DE LAS GLÁNDULAS PARATIROIDES

Las paratiroides son cuatro diminutas glándulas situadas en la cara posterior de los dos lóbulos laterales del tiroides. Su función consiste en elaborar la **hormona paratiroidea**, o **parathormona**, que participa en la regulación de los niveles de calcio y fósforo en la sangre.

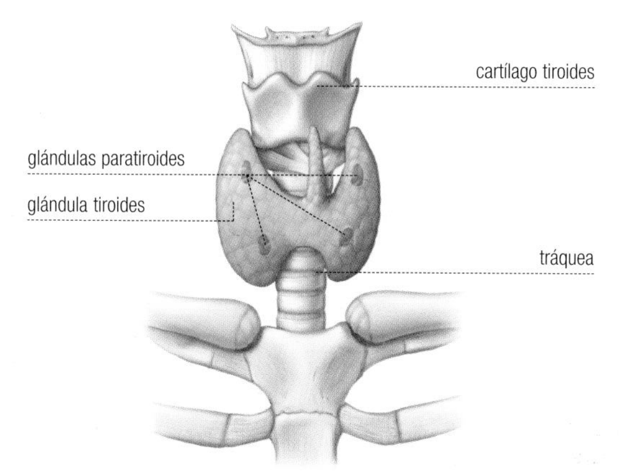

ACCIONES DE LA HORMONA PARATIROIDEA

La hormona paratiroidea tiene como misión primordial aumentar los niveles sanguíneos de calcio, para lo cual actúa a diferentes niveles: favorece la absorción de este mineral en el tubo digestivo y destruye el tejido óseo para que lo libere de su depósito, mientras que disminuye las pérdidas por la orina.

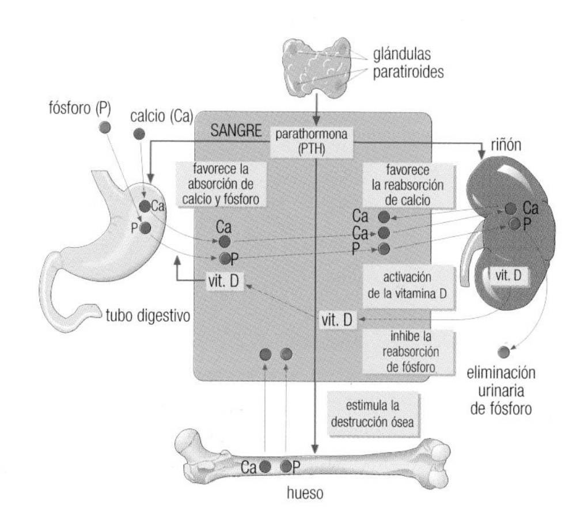

SITUACIÓN DE LAS GLÁNDULAS SUPRARRENALES

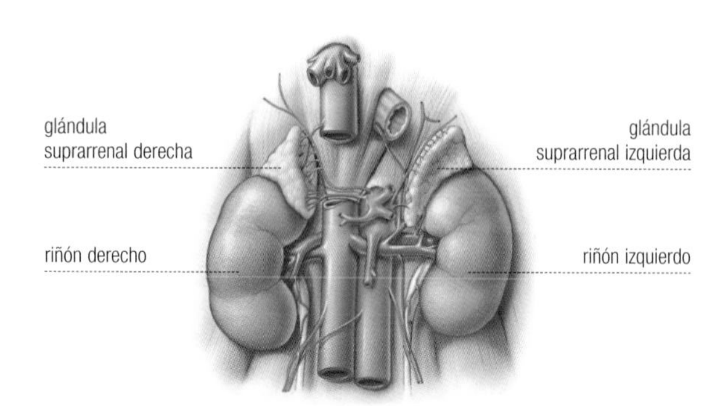

Las suprarrenales son dos pequeñas glándulas de forma piramidal situadas cada una, a modo de capuchón, encima del polo superior de cada riñón. En su interior hay dos porciones de distinta composición y actividad diferente:

- la **médula suprarrenal**, la parte central, está formada por tejido nervioso especializado en la producción de catecolaminas, como la adrenalina y la noradrenalina;
- la **corteza suprarrenal,** la porción externa, funciona bajo el estímulo de la hormona hipofisaria adrenocorticotropina (ACTH) y está formada por tres capas de tejido glandular que producen diversas hormonas corticosteroides: la **zona reticular** elabora andrógenos, como la dehidroepiandrosterona, que actúan como hormonas sexuales masculinas; la **zona fasciculada** produce glucocorticoides; y la **zona glomerular** secreta mineralocorticoides.

SECCIÓN DE UNA GLÁNDULA SUPRARRENAL

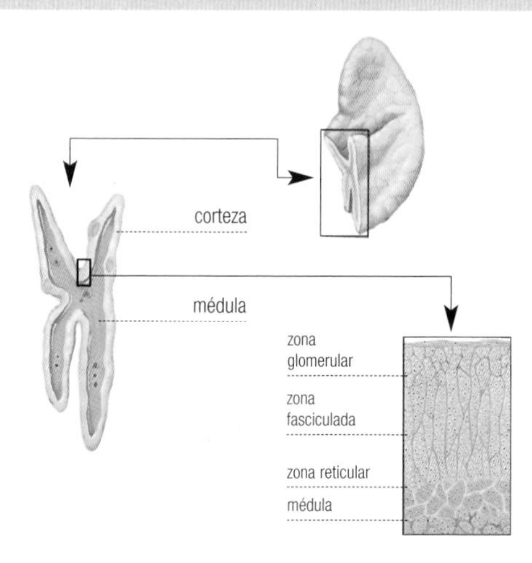

TEJIDO ENDOCRINO DEL PÁNCREAS

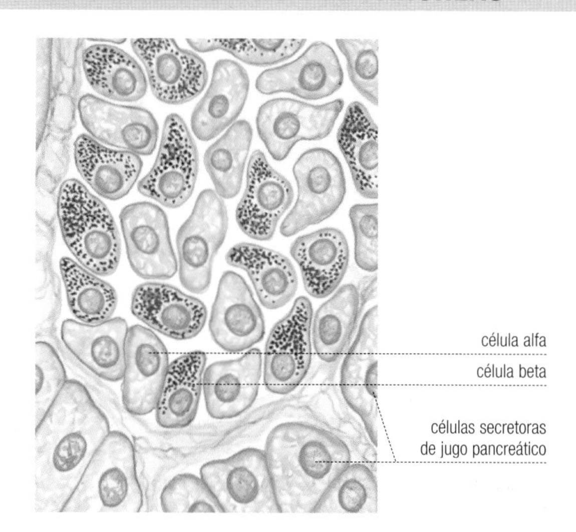

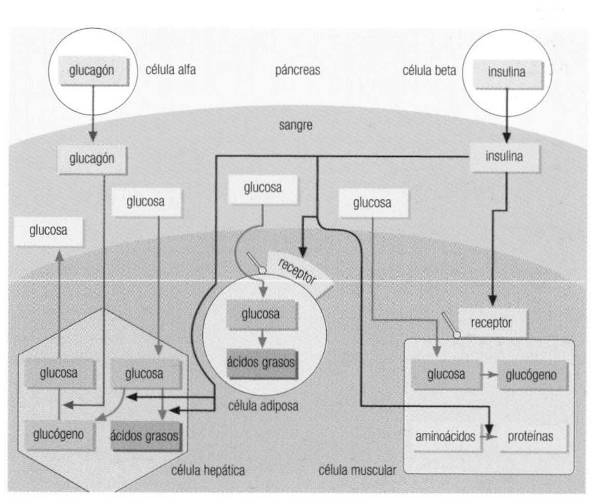

En el espesor del páncreas, inmersos en el tejido responsable de producir secreciones digestivas, hay unos acúmulos celulares denominados **islotes de Langerhans**. Estos islotes están formados por dos tipos de células encargadas de secretar y verter directamente a la sangre unas hormonas que regulan el metabolismo de la glucosa y la concentración sanguínea de esta sustancia: las **células alfa**, que fabrican glucagón, y las **células beta**, que elaboran insulina.

ÓRGANOS DEL SISTEMA INMUNOLÓGICO

El sistema inmunológico, o inmunitario, se encarga de **defender al organismo** frente a la eventual agresión de multitud de elementos extraños diminutos y potencialmente peligrosos que acechan en nuestro entorno, como son numerosos gérmenes: para ello cuenta con la actividad de los **glóbulos blancos**, o leucocitos, producidos por diversos órganos y que constantemente recorren el cuerpo en busca de todo tipo de agentes nocivos para, en caso de detectarlos, **destruirlos** o **inactivarlos**.

timo

pequeño órgano linfoide donde maduran los glóbulos blancos denominados linfocitos T durante la época fetal y la infancia, capacitándose para desarrollar su actividad específica

ganglios linfáticos

formaciones nodulares intercaladas en el trayecto de los vasos linfáticos que albergan abundantes glóbulos

bazo

órgano que fabrica algunos glóbulos blancos y actúa como filtro de gérmenes e impurezas de la sangre que circula por su interior

médula ósea

tejido localizado en el interior de diversos huesos del esqueleto que se encarga de fabricar las células de la sangre, entre ellas los glóbulos blancos

SITUACIÓN DEL TIMO

El timo está localizado en el centro del tórax, por detrás del hueso esternón, pero sus características anatómicas experimentan una curiosa evolución a lo largo de la vida. Este órgano es muy importante en la infancia, porque en su seno maduran los glóbulos blancos tipo linfocitos T, y por tanto en esta época crece hasta alcanzar unos 45 g de peso. Sin embargo, hacia la pubertad su actividad decrece hasta casi cesar por completo y sufre una progresiva atrofia, de modo que en el adulto apenas pesa 15 g.

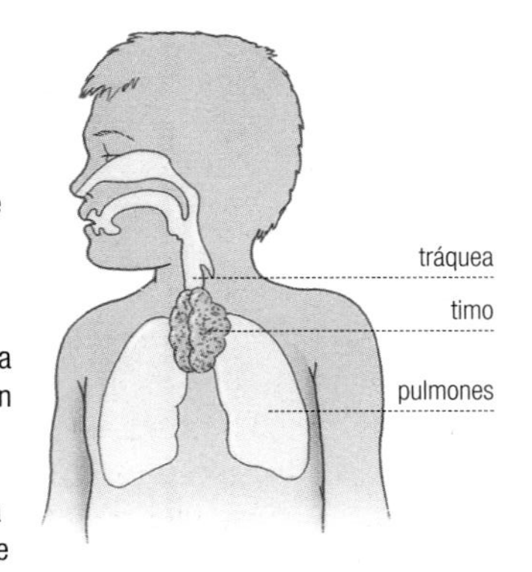

GLÓBULOS BLANCOS

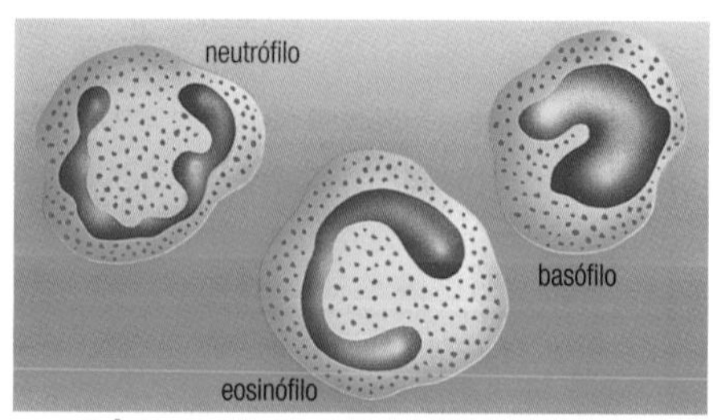

GLÓBULOS BLANCOS GRANULOCITOS

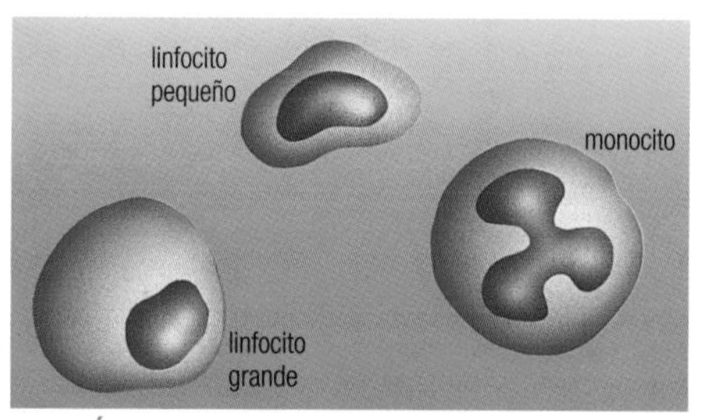

GLÓBULOS BLANCOS AGRANULOCITOS

TIPOS DE GLÓBULOS BLANCOS

Tipo	Porcentaje del total	Función
Granulocitos neutrófilos	45-75 %	fagocitosis
Granulocitos eosinófilos	1-3 %	intervienen en reacciones alérgicas y en la defensa contra las parasitosis
Granulocitos basófilos	1 %	participan en reacciones alérgicas
Monocitos	3-7 %	fagocitosis
Linfocitos	25-30 %	linfocitos T: coordinación de la reacción inmunitaria y respuesta inmunitaria celular linfocitos B: respuesta inmunitaria humoral

MECANISMO DE LA INMUNIDAD INESPECÍFICA

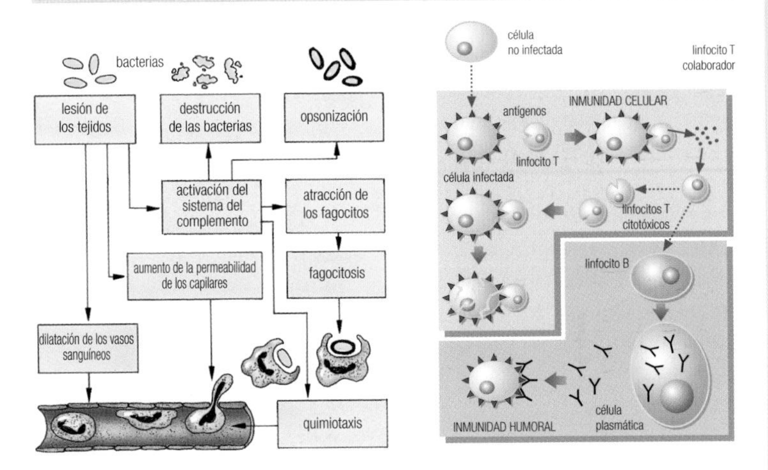

Si algún agente extraño invade el organismo, el sistema inmunitario desencadena primero una respuesta inespecífica, basada en mecanismos presentes ya desde el nacimiento: se trata de la inmunidad natural, o innata.

Si con ello no basta, se produce una respuesta específica contra el agresor, ya sea mediada directamente por glóbulos blancos ya sea por los anticuerpos que producen algunos de ellos (células plasmáticas): se trata de la inmunidad adquirida, que se desarrolla a lo largo de la vida a medida que el organismo se va enfrentando con distintos gérmenes.

INMUNIZACIÓN ACTIVA: VACUNACIÓN

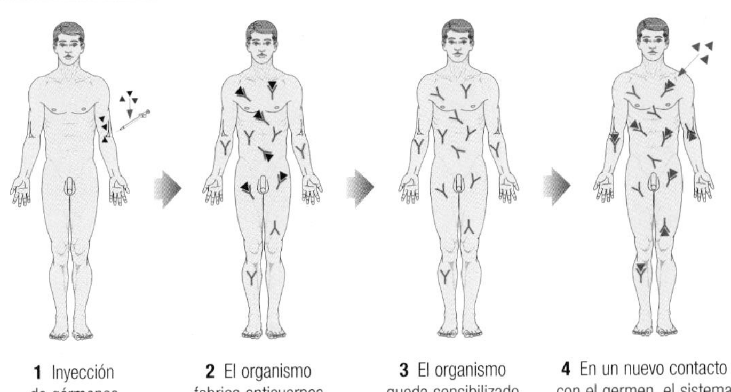

1 Inyección de gérmenes muertos o inactivados.

2 El organismo fabrica anticuerpos contra el germen.

3 El organismo queda sensibilizado ante el germen.

4 En un nuevo contacto con el germen, el sistema inmunitario actúa inmediatamente.

ÍNDICE ALFABÉTICO DE MATERIAS

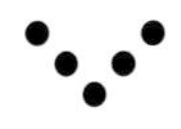

verticales de bolsillo es un sello editorial de Grupo Editorial Norma.

Proyecto y realización
Parramón Ediciones, S.A.

Adaptación y revisión científica
Dr. Adolfo Cassan

Ilustraciones
Archivo Parramón, Estudio Marcel Socías, Antonio Muñoz Tenllado

verticales de bolsillo
Ronda de Sant Pere, 5, 4.ª planta, 08010 Barcelona
(Grupo Editorial Norma)
www.norma.com

Primera edición: enero de 2009

Diseño de la colección: Compañía

Maquetación y preimpresión
Pacmer, S.A.

Dirección de Producción
Rafael Marfil

Producción
Marta Costa

ISBN: 978-84-92421-60-2

Depósito Legal: NA-3769-208
Impreso y encuadernado por Rodesa

Impreso en España - *Printed in Spain*